LE MURMURE MARCHAND

Du même auteur

Carton-pâte, poèmes, Seghers, Paris, 1956 (épuisé)
Les pavés secs, poèmes, Beauchemin, Montréal, 1958 (épuisé)
La chair est un commencement, Écrits du Canada français, nº V, 1959 (épuisé)
C'est la chaude loi des hommes, poèmes, Hexagone, Montréal, 1960 (épuisé)
L'aquarium, roman, Seuil, Paris, 1962
Poésie/poetry 64, anthologie, en collaboration, Éd. du Jour, 1963 (épuisé)
Le couteau sur la table, roman, Seuil, Paris, 1965
Le mouvement du 8 avril, pamphlet, MLF, 1966 (épuisé)
L'homme dans la cité, scénario de pavillon, en collaboration, Exposition universelle de Montréal, 1967
Salut Galarneau!, roman, Seuil, Paris,1967
La grande muraille de Chine, traduction (John Colombo), Montréal, Éd. du Jour, 1969 (épuisé)
D'amour P.Q., roman, Seuil, Paris,1972
L'interview, texte radiophonique, en collaboration avec Pierre Turgeon, Leméac, Montréal, 1973
Le réformiste, essais, Quinze, Montréal, 1975
L'Isle au Dragon, roman, Seuil, Paris, 1976
Les têtes à Papineau, roman, Seuil, Paris, 1981
Le murmure marchand, essai, Boréal, Montréal, 1984
Souvenirs shop, poèmes, Hexagone, Montréal, 1985
Une histoire américaine, roman, Seuil, Paris, 1986
Un cœur de rockeur, essai documentaire, Éd. de l'Homme, Montréal, 1988

Jacques Godbout

LE MURMURE MARCHAND

1976-1984

Boréal

Conception graphique: Gianni Caccia
Illustration de la couverture: Pierre Guimond

Dépôt légal: 3e trimestre 1989
Bibliothèque nationale du Québec

Données de catalogage avant publication (Canada)

Godbout, Jacques, 1933-
Le murmure marchand 1976-1984
(Boréal compact; 13)
ISBN 2-89052-294-6
1. Civilisation moderne — 1950- . 2. Consommateurs.
3. Publicité télévisée. 4. Mss media — Aspect social
5. Ordinateurs et civilisation. I. Titre.
PS8513.032M87 1989 306'.0904 C89-096293-6
PS9513.032M87 1989 PQ3919.2.G62M87 1989

AVANT-PROPOS

Voici donc une réédition du *Murmure marchand* suivi d'autres textes pour la plupart publiés dans la revue *Liberté* au cours des huit dernières années. La première fois que je me suis laissé persuader de réunir des articles, c'était en 1975, André Major leur trouvait une unité de ton malgré la multiplicité de leurs sujets. *Le Réformiste* comprenait une quarantaine de textes qui avaient paru en France et au Québec depuis les débuts de la Révolution tranquille. Chacun était précédé de sa date de publication pour bien prouver que je m'étais peu trompé dans les jugements que je portais sur les gens et les événements; comme si le contenu avait moins d'importance que le sens du *timing*. Avoir raison, à l'époque, l'emportait sur de nombreux autres plaisirs...

Qu'est-ce donc qui a changé? Le contexte culturel et politique, sûrement, mais surtout je souhaite ardemment, dans les articles que François Ricard m'a demandé de réunir (contrairement à l'époque du *Réformiste*), m'être sérieusement *trompé*. Car si dans les «textes tranquilles» j'avais des opinions et des idées sur tout, dans le *Murmure marchand* je ramène tout à une seule idée qui n'est pas particulièrement réjouissante: je crains en effet qu'imperceptiblement le chant des marchandises, ou même la publicité «sociétale», soient à notre civilisation ce que la pensée philosophique était à nos pères. Je pense qu'il y a dans les objets et leur aura publicitaire une odeur de mort culturelle.

Il est évident que je suis obnubilé par cette conscience quotidienne que le sens (de la vie, de la culture, de la société) est aujourd'hui une production industrielle. Jusqu'en 1975 je croyais sincèrement que l'on pouvait raisonner entre citoyens. Depuis cette époque j'ai le sentiment profond que la propagande (publicitaire) dicte jusqu'aux débats de société, le plus récent exemple de détournement de sens ayant été la mise en marché des ordinateurs domestiques, appareils ménagers élevés par les publicitaires au rang des œuvres de l'esprit. On en discute même les vertus sociales au nom de l'alphabétisation! Tout se passe comme si autrefois les marchands d'étagères et de fichiers nous avaient convaincus que les tablettes étaient l'essentiel du message littéraire.

Que l'on me comprenne bien: je ne crois pas faire partie des nostalgiques de la civilisation agricole. Je possède de nombreux biens manufacturés qui me rendent la vie agréable et facile. Je préfère voyager en avion qu'à dos d'âne. Je suis ravi de l'invention du réfrigérateur et j'utilise deux cartes de crédit. C'est la domination du discours marchand qui me sidère. Diogène cherchait un homme, aujourd'hui il chercherait en vain un citoyen.

Je n'ai rien contre la «consommation», puisque consommer c'est vivre. Mais, pour reprendre les termes du débat (référendaire), entre *une carte de crédit* et *une carte d'identité* je choisis cette dernière, dans l'ordre du symbole. De toute manière, me voilà encore en porte-à-faux, puisque j'essaie de raisonner (d'avoir raison) alors que la raison semble morte. Que l'on me permette pourtant un dernier exemple: la carte de crédit a comme fonction de me permettre l'achat immédiat de biens dont j'acquitterai la facture le 30 du mois. Elle a un sens. Or la compagnie qui administre les comptes, possédant un relevé des objets que j'achète depuis plusieurs années, le nom des restaurants que je fréquente, leur catégorie, la fréquence de mes visites en librairie, à la station-service, la liste des lieux de mes voyages, celle de mes hôtels préférés, de mes dépenses de bar, de petit déjeuner, et jusqu'aux pièces de théâtre auxquelles j'assiste, peut tracer un profil psychologique du «consommateur» que je suis. Ce portrait est ensuite vendu aux sociétés marchandes qui savent alors si je suis un client éventuel et surtout comment me séduire. La carte de crédit, détournée de son sens, est devenue une fiche anthropométrique, l'empreinte dont la police des marchandises se servira pour assurer la circulation des objets obsolètes. C'est cela qui me fait frissonner.

Relisant les textes réunis dans ce recueil, j'ai pris conscience qu'en filigrane de tout ce que j'avais écrit, y compris dans mes romans (*L'Isle au dragon* et *Les Têtes à Papineau*), depuis 1976, apparaît la *trame* du *Murmure marchand*. Les idées fixes étant dangereuses, je suis donc heureux du partage avec le lecteur que permet cette édition, en espérant, contre toutes les preuves accumulées, m'être trompé.

Jacques Godbout
Le 22 mars 1984

CHAPITRE I

LE MURMURE MARCHAND
(QUELQUES NOTES PRISES DEVANT LE PETIT ÉCRAN)

Dites-moi, est-ce que l'homme est sur terre pour produire des marchandises?

H. LABORIT

Ce n'est pas parce qu'à la fin de ses études secondaires un enfant en Amérique a déjà contemplé plus de 18 000 meurtres électroniques que la télévision accepte d'emblée l'idée de la mort. Bien au contraire, le principal reproche que l'on peut faire au système de représentation audio-visuel, sur le mode où il est présentement vécu, c'est de réussir à faire écran entre l'homme et sa mort.

La télévision n'a pas non plus d'odeur: elle n'en permettra pas moins l'expansion invraisemblable de la parfumerie. [La télévision ne crée pas le *village global*, mais l'*usine globale*: on y produit des consommateurs pour que les objets de la chaîne automatisée ne tombent pas dans le vide.] Intégration verticale totale. [La société marchande a trouvé là son instrument de reproduction, qui s'adresse directement au cerveau malléable du nouveau-né comme aux cellules grises des vieillards.] Le discours de l'appareil ne cesse jamais, et qu'importe qu'en pouponnière ou maison de retraite les yeux parfois se ferment, le murmure marchand rassure: le silence serait mort d'usine, ce qui est pire encore que mort d'homme.

Tout renvoie à la télévision dont la lueur remplace la lumière des saisons et des jours. Chacun a son modèle de voiture, ses couleurs préférées de sous-vêtements, ses nourritures, son ameublement mais tous, dans le village imaginaire, nous avons en commun la télévision, peu importe le meuble dans lequel est encastré le tube dont la fonction est hypnotique.

L'argent-spectacle

Les moralistes affirment que nous connaissons «un malaise de civilisation» et que les «morales traditionnelles» ne sont plus «respectées». Ils parlent d'un système d'éducation qui ne «transmet» plus ce que nous avons «de plus sacré». Ils disent: «on a enlevé le crucifix des écoles». Ils disent aussi: «les jeunes n'ont plus le sens des valeurs».

Ce qu'il faut entendre, c'est que l'argent n'a plus le même sens qu'hier et que grugée par l'inflation la monnaie perd rapidement sa crédibilité. Les valeurs boursières sont à la baisse et par voie de conséquence des enfants s'amènent qui n'ont plus *le* sens des valeurs. Ils en ont un autre. Les valeurs, en effet, n'ont de sens que si on leur en donne. Quand l'argent ne sert plus à agrandir, améliorer, enrichir ou constituer le patrimoine, mais à se procurer des biens manufacturés qui ne se transmettront pas par héritage — puisqu'ils seront obsolètes — on peut dire qu'il y a transmutation du sens de la valeur «argent» et par conséquent des valeurs morales que ce symbole véhicule.

Par exemple: le travail. L'argent est le théâtre du travail, la partie visible du labeur, à moins que d'être fermier. (Car alors une truie chaque année donnera naissance à cinq ou sept porcelets, aussi régulièrement que reviennent les saisons; nourris, logés, ces animaux deviendront l'argent du cultivateur, réalité et symbole de son travail.) Mais l'employé des postes est payé en papier. Il met ses porcelets dans son portefeuille, c'est plus commode pour circuler, et si tout le monde est d'accord pour donner à ces morceaux de papier une *valeur de représentation,* l'employé peut acheter ce que bon lui semble et même des porcelets. Mais si la valeur de l'argent varie, de même le travail et sa valeur de société.

À mesure que la gêne (cette étrange sensation devant les biens que l'on voit d'autres consommateurs se procurer) remplace la misère, la lutte des classes conçue comme une lutte entre la misère et la richesse devient une course entre des consommateurs: qui pourra se procurer désormais le premier un bien dont *tout le monde* pouvait hier encore se passer? L'indispensable n'est plus la garantie de l'argent, il n'y a plus d'adéquation entre l'effort, l'intelligence, la responsabilité, l'expérience, les connaissances et le salaire. Un instituteur gagne deux fois moins qu'un policier qui reçoit quatre fois plus d'argent que le commis de banque. Le salaire de l'instituteur, du policier et du commis de banque ne font pas la moitié de celui d'un seul joueur d'une équipe de base-ball professionnelle. Qu'est-ce donc qui a une «valeur» et qu'on doive respecter?

L'enfant découvre vite que plus une tâche est en représentation, plus le salaire en est élevé, sans égard aux compétences réelles. Et les combats de barricades sont remplacés par des luttes théâtrales, où la pancarte, la manifestation, le défilé cherchent à être spectaculaires pour trouver place justement au spectacle des nouvelles télévisées. Les plus gros salaires sont payés aux vedettes de la télévision, du cinéma, de la musique ou des sports. Alors un syndicat doit faire de ses membres des vedettes aussi, s'il veut arracher l'augmentation de traitement désirée.

Une vedette est un désir fait homme. *La société marchande de représentation est une société du désir. Ce n'est plus un désir de société.* Dans un tel contexte les valeurs doivent pouvoir varier à l'infini. Il n'y a plus de morale: il y a des *gammes* de comportement. Il n'y a plus de prêtres: il y a des sociologues.

Feu le citoyen

La liberté de la presse disparut après la première grande guerre du XXe siècle, quand un journal qui coûtait cinq sous à produire se vendit tout de même trois sous, les deux autres étant payés par «la publicité». Les marchands commencèrent de ce jour à subventionner le lecteur des imprimés, puis l'auditeur du radiophone, et, après la deuxième grande guerre, le téléspectateur.

Le *citoyen* aurait pu s'insurger. Mais il n'existait qu'en sursis: l'Amérique peu à peu remplaçait ses habitants par des consommateurs. Les «années folles» permirent l'entrée de la femme dans le système de la consommation, l'après-deuxième-guerre vit les enfants suivre la trace des parents, Ils étaient devenus des «groupes-cibles».

La publicité dans les magazines et les journaux marqua donc l'initiation de l'homme à l'ère du «*pouvoir d'achat*», la radio fut le chemin des dames et la télévision la voie royale des enfants vers les montagnes sacrées des produits manufacturés.

Depuis, en Amérique, journaux, radio et télévision déversent un murmure marchand qui n'a plus rien à voir avec l'information, la musique, le drame ou la comédie, et ce murmure est le fond sonore des bonimenteurs de la nouvelle civilisation. Les seuls nouveaux partis politiques originaux seront désormais ces «regroupements» de consommateurs, pour la protection du plaisir de consommer. Au travail les mêmes consommateurs sont pris en charge par les syndicats qui veillent à ce qu'ils ne perdent pas leur pouvoir d'achat. La liberté de presse n'avait plus besoin d'exister: le citoyen était disparu par la porte ouverte du *Shopping Centre*, noyé dans une musique douce.

La bombe propre

Il n'est plus aucun besoin de bombardiers et de chars d'assaut pour conquérir un pays. Il suffit que chaque foyer ennemi possède un téléviseur. En quinze ans, par exemple, les États-Unis ont pris possession du territoire mental des Canadiens anglais. Les sociétés américaines, par filiales interposées, ont peu à peu transformé ce territoire mental en champ de commerce profitable. La pensée symbolique américaine est pompée à travers la frontière par des câbles électroniques, et il n'est pas un seul enfant canadien de moins de vingt ans qui ne soit déjà assimilé à la pensée américaine.

Il n'aurait servi à rien de détruire et de bombarder: la conquête des marchés est assurée par l'impérialisme électronique. Les guerres coloniales, la recherche des matières premières, l'accès garanti aux sources d'énergie, à mesure que progresse la télédiffusion, se feront autrement qu'à la grenade et au napalm.

Pax Americana? Une même façon de voir le monde, de Paris à Port-au-Prince. Quand nous penserons tous comme des Américains, les sociétés trans-nationales seront nos pays d'élection. Français, Hollandais, Québécois ou citoyens de la Nouvelle-Angleterre, nous partageons les mêmes fictions: depuis Hollywood les USA n'exportent pas des documentaires, mais des feuilletons porteurs de publicité.

Le spectateur qui, à Madère, à Bordeaux, à l'Isle d'Orléans ou à Hong Kong, accepte peu à peu le *modèle* américain de comportement (*Mannix, Hawaï 5-0, Kojak, Les Incorruptibles, Mission Impossible, Mash,* et le reste) saura bien vers quelles tablettes tendre la main au supermarché. Dis-moi ce que tu regardes, je te dirai ce que tu achètes. Près de 60% de la télédiffusion française est américaine. Jour après jour la mythologie commerciale électronique rend le spectateur *dépendant.* Le petit écran dans chaque maison comme une mamelle tendue: le Pepsi-Cola coule de source. Et les nouveaux immigrants tètent, assimilent. On n'a plus besoin de les mettre à bord d'un bateau: ils resteront à Naples mais seront, tout aussi sûrement que s'ils habitaient le New Jersey, citoyens américains. Il n'y a plus qu'un langage: pourquoi défendre nos langues?

Jingle Bell

Naître avant 1945 c'était avoir en commun le même livre d'Écritures saintes, les mêmes fêtes liturgiques, les mêmes défenses morales, les mêmes prières, les mêmes respects des mêmes autorités, la même église, les mêmes valeurs. Les plus instruits partageaient de plus la connaissance des déclinaisons latines, des exemples grossiers de grammaire grecque, le même respect pour les mêmes auteurs littéraires, de Shakespeare à Villon. L'univers intègre dominé par les intégristes d'ailleurs offrait une cohérence sévère, un cadre de références utiles, un code social que l'on disait nécessaire et surtout un système de représentation des valeurs immuables.

Aujourd'hui, à l'école, quand des élèves donnent un spectacle, ce n'est plus *Andromaque* mais un texte qu'ils ont écrit eux-mêmes et le plus souvent une parodie de la télévision. Les enfants n'ont que les annonces commerciales en commun, car celles-ci ne sont jamais confinées à une seule chaîne, et le clou de la séance est habituellement un pot-pourri de *jingles* justement. Que les étudiants appartiennent à une classe sociale ou à l'autre, ils sont des consommateurs, comme on disait: «ils sont des êtres humains», et ils auront toujours le dernier slogan de la dernière campagne publicitaire dans l'oreille. Les enfants d'après-guerre connaissent des comptines de bière. Hier nos chansons venaient de la Table Ronde.

L'assurance-consommation

À l'Office national du film du Canada, des cinéastes viennent travailler avec, aux pieds, des bottines comme en portent les ouvriers de la construction. C'est leur façon à eux de se rapprocher du prolétariat. Cols blancs, cols bleus, cols roulés. Des adolescents portent des vareuses militaires dont ils ne connaissent même pas les insignes. La vareuse militaire est donc devenue insignifiante, puis a changé de signe, nouvel uniforme d'une horde de pacifistes, consommateurs de marijuana.

Semblables, différents. Avant que la société marchande ne trouve en télévision son réseau nécessaire de mise en demande, les adolescents se voulaient semblables entre eux, différents des adultes. L'un des rites de la publicité, la célébration de la jeunesse, a eu comme effet depuis les années soixante que l'adulte se veut maintenant semblable aux adolescents. De toute manière plus aucun consommateur n'a le goût ou le temps de se vouloir différent des autres: la communication marchande veille, elle, à assurer la pérennité du changement.

Les enfants nourris depuis 1960 au biberon électronique multicolore, consommateurs conscients, ne voient aucun mal quant à eux aux structures d'échange qui, pour un salaire, offrent des plaisirs symboliques. Ils nagent en pleine poésie, ce qui fait vivre l'homme d'affaires.

Dieu est un objet, l'art est un style; la mort n'existe plus; où donc se situe la sexualité? Elle doit être niée, à tout prix, dans sa fonction même, pour servir, comme les dieux et l'art, d'intermédiaire fonctionnel dans la société du désir.

Le jeune couple de la société marchande, malheureux comme un Juif qui a perdu la foi, va désormais changer de style, dans ses vêtements, son décor, sa nourriture, ses plaisirs, et même dans son travail aussi souvent que les rites l'exigeront, à la poursuite non plus d'un bonheur, mais d'une satisfaction chaque fois trompée car il faut bien que les usines tournent, comme il faut qu'un film pornographique remplace l'autre.

Si toute la force de travail disponible n'est pas nécessaire pour surveiller les machines, les consommateurs privilégiés qui travaillent en vue de s'offrir un haut niveau d'insatisfactions programmées consentent par loi à l'assurance-chômage et au Bien-Être social (Welfare), c'est-à-dire à la «sécurité sociale». Les sommes versées aux chômeurs leur permettent de ne pas se retirer du circuit de la consommation et ralentissent, en quelque sorte, la progression du chômage, de la demande. L'État régularise le cours des échanges en produisant, par subventions, des consommateurs comme il crée, par subventions, des usines. L'économie se mord la queue, les banques retirent de plus à l'État le pouvoir exclusif d'imprimer de l'argent, produisant en série des cartes de crédit qu'elles distribuent d'office aux consommateurs. La masse monétaire fictive du crédit, symbole d'un symbole, carré de l'hypoténuse des échanges, exerce une «surchauffe de l'économie»... L'inflation peut désormais côtoyer le manque à travailler.

Les ordinateurs humains reçoivent, de semaine en semaine, les mêmes impulsions électriques: la télévision, c'est l'usine audio-visuelle. Séries de 13, de 26, de 52. Une bonne idée doit être diluée et distribuée à la chaîne. La programmation du robot électronique se fait plus d'un an à l'avance. Les programmes publiés en couleur dans les illustrés se présentent comme une série de cases, rouges pour l'information, jaunes pour la comédie, bleues pour les variétés et ainsi de suite. On imagine facilement les programmateurs devant le mur de leur bureau tentant «d'équilibrer» les cases pour enfant, celles de la politique, du sport, des femmes et ainsi de suite, le tableau devant différer quelque peu d'année en année (sinon pourquoi un programmateur?) tout en restant fidèle aux structures d'écoute. La programmation d'une semaine sera, quand elle aura été arrêtée et approuvée par tous les paliers d'intérêt (services de production, d'achat, de vente, de sondage), reproduite systématiquement du lundi au dimanche, de l'aube à la nuit avancée. L'Amérique impudique n'arrête ses usines que quelques heures par nuit pour nettoyer les cuves. De même la télévision. Les insomniaques font d'ailleurs d'excellents consommateurs, il suffit de savoir ce qu'on doit leur murmurer à l'oreille.

Malraux croyait que la télévision condamnait l'homme à l'imaginaire. Il ne connaissait pas intimement la télévision commerciale: si l'imaginaire donne le goût de l'imaginaire, la télévision commerciale donne le goût de la télévision commerciale. Les contes de fées de nos enfants durent une minute et racontent la tentation des chocolats aux cerises. Il n'y a plus de mystère, il n'y a que des désirs.

En France, dans le programme commun de la gauche, négocié au moment même où cinquante communistes envahissaient les studios de TF1, à l'été 1977, il est écrit qu'une fois au pouvoir socialistes et communistes *accepteront la publicité de marque* à la télévision. Lever Bros. peut dormir tranquille: de jeunes ménagères d'allure moderne pourront continuer de vendre des savons à lessive, même si les théoriciens de la lutte des classes s'assoient à l'Élysée. En fait le programme de la gauche reconnaît ainsi, implicitement, qu'il ne changera rien aux structures de la société marchande française, ni même qu'il ne saurait transformer *réellement* les rapports économiques.

La publicité de marque, les *commercials* abondants des réseaux américains, l'annonce que les chaînes d'État comme la Société Radio-Canada acceptent pour «étoffer» leur budget d'opération sont à la fois une taxe déguisée dont plus personne ne saurait se passer et la marque de commerce d'une société qui autrement ne saurait plus où elle en est. La publicité, à la télévision, rappelle à tout instant les valeurs fondamentales de la démocratie: le choix qu'on nous présente entre différentes boissons, la liberté encouragée de se procurer différents biens manufacturés *à notre goût*, réitère constamment que la volonté populaire et manufacturière vont de pair.

Les P.D.G. ne sont aujourd'hui Présidents-directeurs-généraux que parce qu'ils savent exploiter un «créneau», c'est-à-dire un espace commercial *vide*. Une jeune décoratrice lançait en 1972 un magazine de décoration et d'architecture à Montréal où l'on pouvait déjà se procurer aussi bien le *Better Home and Garden* que le *Meubles et décor* parisien. Or *Décormag* eut un succès rapide et n'a cessé de progresser auprès de la jeune clientèle québécoise. *Décormag* exploitait un «créneau» parmi les magazines de plus en plus spécialisés, offrant à la jeune *middle class* instruite l'image sur papier glacé de sa réussite, dont les couleurs, les tissus, les ensembles, les paysages, le juste équilibre entre l'ancien et le moderne, la juste répartition entre le meuble importé et celui des artisans étaient une *représentation* précise des idées politiques progressistes et nationalistes à la fois qui permirent au Parti Québécois, à l'automne 1976, de prendre maison au Parlement.

Les cinquante communistes qui envahirent le studio de TF1 d'où tous les soirs Roger Giguel lisait les informations de 20 heures, pour profiter de la diffusion en direct et n'être pas empêchés de parler aux spectateurs français, n'ont pas agi différemment de la cellule du Front de Libération Québécois qui obtint, contre l'enlèvement en 1970 du diplomate britannique James Richard Cross, que Gaétan Montreuil lise à l'heure des informations le communiqué politique que les terroristes du F.L.Q. n'auraient autrement jamais mis dans la bouche d'un journaliste de presse électronique. Aucune nouvelle ne dépasse en effet quatre-vingt-dix secondes au journal.

Les seuls événements dont il faut tenir compte aujourd'hui sont ceux dont la télévision, place publique et lieu commun, rend compte. Les exclus, ouvriers communistes en grève ou révolutionnaires felquistes, l'ont compris instinctivement en tentant de s'accaparer quelques minutes d'antenne dont se servent déjà les publicitaires pour mouler quotidiennement la pensée libre. D'ailleurs ceux-ci ont de la liberté une notion toute cinématographique, dont le *dune buggy* et la motoneige sont les symboles en saison.

Ceux-là mêmes qui se portent aujourd'hui à la défense des consommateurs se seraient battus hier pour l'école laïque, les droits de l'homme, la paix dans le monde ou la liberté. Mais dans la société marchande les idéaux romantiques ont cédé le pas aux objectifs de consommation et Ralph Nader est le preux chevalier des ménagères, le prince des centres d'achats, le d'Artagnan des acheteurs floués. Le gouvernement dans tout cela n'a plus comme fonction que de régulariser le flot des commerces au nom des Chambres en assurant les uns et les autres que chaque génération saura utiliser sa richesse et son crédit pour faire tourner la roue. Les humanités gréco-latines sont bien lointaines et ce qui distingue les citoyens d'un pays de ceux d'une autre contrée, c'est désormais le *pouvoir d'achat*; la culture d'un pays se mesure à l'aune du *niveau de vie.*

Depuis assez longtemps les lois de l'offre et de la demande ne correspondent plus aux besoins réels des Occidentaux, et ne fluctuent pas suivant les appétits naturels. L'offre des biens manufacturés dépassant la demande, non seulement en quantité, mais aussi en variété, nous sommes imperceptiblement passés d'un univers des besoins comblés à un monde des désirs provoqués. À ses débuts la publicité était une information : «La maison Grothée, 22, rue Couillard à Québec, a l'honneur d'aviser son aimable clientèle qu'elle a reçu de France un chargement de jolis souliers pour dames et messieurs». Cette bonne nouvelle faisait son tour de ville et tous ceux-là qui attendaient patiemment l'arrivée du bateau printanier allaient se chausser rue Couillard.

Mais quand le marché fut saturé il fallut bien que la publicité transcendât l'information, car elle n'avait plus comme tâche d'avertir le client de l'existence d'une marchandise, mais bien de créer chez ce dernier le désir d'une nouveauté autrement inutile. Comment motiver le client? Comment la publicité pouvait-elle devenir *le langage de l'industrie*? La société marchande n'était pas un furoncle. La psychologie, les moyens de communication, la sociologie, les «sciences humaines» et leur technologie arrivèrent à point nommé, pour permettre la création de cette vaste conspiration dont nous sommes désormais tous complices: en vue d'assurer la circulation et le renouvellement des biens manufacturés, nous vivons des révolutions culturelles permanentes et profondes qui se prennent même parfois elles-mêmes pour objet.

Ainsi chaque fois que naît une contestation de l'ordre marchand établi, chaque fois que la république des consommateurs est menacée de l'intérieur, et que les conjurés tentent d'échapper aux rites du consumérisme, les publicitaires, qui sont toujours les plus forts, utilisent les armes mêmes des révoltés pour augmenter, momentanément, le ronronnement de l'appareil à accroître les désirs. Qu'il s'agisse des *hippies* des années soixante ou des écologistes des années soixante-dix, les uns et les autres se retrouvent rapidement à l'étalage: robes et colifichets en boutiques de luxe, leurs aliments naturels offerts entre la pharmacie et l'épicerie.

L'argent est un signe, une valeur symbolique, qui commence à peine à trouver civilisation à son pied: plus il se produit d'objets à la chaîne, plus la matière augmente, plus nous devons habiter un univers des signes. La production des valeurs symboliques est garante de l'échange des biens matériels. La valeur d'usage d'un objet dépend souvent de l'émoussement de sa valeur réelle. Il faut que l'objet se prenne pour un autre. L'épouse moderne d'un ouvrier du fer, à Sept-Îles, n'est heureuse que si son mari gagne suffisamment d'argent pour lui permettre de renouveler, chaque automne, le décor de son salon. Une année après l'autre un fauteuil de style espagnol remplace un siège Régence dans l'espace même qu'occupait, douze mois plus tôt, une chaise *early american*. Elle et lui ont terminé leurs études très secondaires, et ne lisent plus que les textes publicitaires imprimés sur boîtes de conserve ou les modes d'emploi des appareils ménagers. Ce jeune couple appartient au cheptel des nouveaux esclaves que vendent d'heure en heure les chaînes de télévision aux compagnies qui doivent créer de toutes pièces une demande qui autrement n'existerait pas.

Un beau troupeau de ces nouveaux esclaves valait, en janvier 1978, à la minute, *prime time, prime cut,* 127 000$ sur le marché des *networks* à New York. Les télesclaves se débitent en quantité et en qualité, et en cela diffèrent fort peu des Noirs vendus hier aux planteurs de coton. Seul le muscle, pouvoir de travail, a été remplacé par le pouvoir d'achat, muscle du marchandisage. Pour le reste les petits groupes se vendent moins bien que les foules et les chaînes de télévision cherchent par tous les moyens à obtenir la cote d'écoute qui permet de hausser le tarif de la publicité. Si les postes de télévision vendent des téléspectateurs, les journaux vendent des lecteurs. Dans les quartiers à bon pouvoir d'achat, il n'est pas rare même que des magazines soient distribués gratuitement, contenant des articles bien faits et des reportages intéressants, mais qui ne sont que support à une publicité dont la pénétration est *garantie* par la gratuité de la revue. Journaux, radio, télévision, *mass media* d'information ont été dévorés par la publicité qui seule les rentabilise; ils ne font donc plus commerce de nouvelles, mais d'angoisses.

Le commerce de l'angoisse, les titres accrocheurs, le scandale politique ou le sang à la une servent deux fonctions: retenir l'intérêt de l'acheteur et le convaincre implicitement que la *bonne* nouvelle se loge dans le message publicitaire. À la télévision nord-américaine les séries dramatiques violentes, policières, médicales et d'espionnage servent la même fonction. Il faut des marchands d'angoisse si l'on veut que réussissent les marchands de bonheur. Dans une boutique on exaspère, dans l'autre on console et rassure.

L'art du siècle

Même ceux qui refusent la société marchande se meuvent impuissants dans ses structures. L'exemple du cinéma *québécois* est à ce sujet intéressant. Les réalisateurs québécois, pour la plupart documentaristes, qui fondèrent l'*Association professionnelle des cinéastes* vers 1962, en vue de promouvoir la création au Québec d'une industrie du long métrage, produisirent, à grand renfort de mémoires, de conférences de presse, d'articles et de manifestations, *une demande* pour ce qui n'existait pas encore: le cinéma québécois. L'APC pratiquait le marketing comme Jourdain la prose. C'était un désir de cinéma.

Les premiers films furent reçus avec enthousiasme, patience et déception: personne ne savait ce qu'était le cinéma québécois, les cinéastes pas plus que le public qui se disait qu'un jour les scénarios, les dialogues, les comédiens seraient à la hauteur des techniciens dont on répétait qu'ils étaient uniques au monde.

Les cinéastes délaissèrent de plus en plus leur rôle improvisé de marchandisage pour se mettre à fabriquer, de plus en plus avec l'argent de l'État, une offre. Certaines années il se fit tant de films que plus de la moitié ne trouvait pas même place à l'écran. Personne ne créait plus la demande, au contraire chaque film était offert comme devant la satisfaire d'un seul coup. Publicitaires et critiques, avec des idéologies contraires, épuisèrent de même la crédibilité de leurs moyens. Peu à peu le public, sollicité par d'autres produits à loisir (comme on entend produits à vaisselle) se détourna du cinéma québécois. Les films se firent de plus en plus rares, comme leur public, qui de toute manière voulait de moins en moins se déplacer pour voir un cinéma subventionné, lui que l'on subventionnait pour qu'il restât devant sa télé.

Assis commodément chez lui face à son écran cathodique, il avait quitté depuis quelques années déjà les lieux de représentation du rituel (sacré), ayant oublié le chemin de l'église. Pourquoi voulait-on qu'il prenne celui du cinéma? La paroisse, comme la salle de quartier, avait peine à payer même le chauffage d'édifices hauts en plafond, d'un autre âge. Les salles de cinéma qui marchaient, basiliques à pèlerinages, présentaient du grand cirque, dont les coûts de production dépassaient la capacité canadienne. Les films québécois étaient naïfs, leur mise en marché malhabile, et les cinéastes se refusaient ouvertement au commerce.

Or le commerce est l'art de la communication et inversement, depuis bien avant les comptoirs phéniciens, et le commerce avec le plus grand nombre demande des objets dont le plus grand nombre a besoin, ou dont il a à tout le moins envie. L'extraction et la vente du sel au Québec ont progressé beaucoup plus grâce à l'automobile qu'à la salière. Si les voies du Seigneur sont insondables, celles des structures marchandes sont souvent pleines de surprises. Le cinéma québécois de fiction aurait pu exister par la télévision plus que par les salles. Mais producteurs, cinéastes et critiques cherchaient à créer une ferveur (vaniteux, ils rêvaient de marquise) alors qu'il aurait fallu produire un *manque*. Ils croyaient toujours, ayant été élevés et éduqués à la fin de la seconde guerre mondiale, au rituel de la représentation. Le public n'avait, lui, plus foi qu'en des rites.

Ainsi, pendant un court moment, l'envie de voir ses comédiens de télévision plus grands que nature l'amena à se présenter au guichet du cinéma. D'autant plus que ces mêmes comédiens lui racontaient dans toutes les émissions de bavardage qu'ils avaient enfin réalisé le rêve de leur vie, faire du cinéma! Les fesses de l'un, la tête de l'autre, ne se révélèrent pas beaucoup plus attirantes au grand écran qu'au petit. La démarche des cinéastes québécois n'était pas nouvelle: des copistes qui détenaient jusqu'en 1440 le pouvoir de reproduire les écrits s'opposèrent dès sa naissance à l'utilisation de l'imprimerie. En France ils arrachèrent au Roi un édit leur permettant de détruire les presses. Non seulement l'invention de Gutenberg les privait du monopole de la reproduction, mais leur connaissance de l'écriture et leur art calligraphique devenaient un luxe dont on pouvait se passer. D'ouvriers nécessaires et privilégiés, les copistes, qui avaient su augmenter leur salaire en compliquant l'écriture à souhait, qui avaient donc profité pleinement de la situation et se sentaient en parfaite sécurité, devinrent obsolètes du jour au lendemain. Ce ne serait pas la dernière fois qu'une technologie de la *reproduction* rendrait caducs un art et ses artistes. L'artisanat étant le lieu de la technologie d'hier, les copistes avaient le choix entre devenir typographes ou rester enlumineurs aux basques d'un mécène.

L'invention d'un système de reproduction n'affecte pas la création, mais son salaire; elle modifie par contre les règles de l'art. L'auteur pouvait continuer d'écrire: copistes ou imprimeurs ne faisaient qu'ouvrir des marchés différents. À l'apparition de la télévision populaire, dans le second tiers du XXe siècle, les cinéastes réagirent comme les copistes de Charles le Téméraire, ou comme ces intellectuels parisiens qui longtemps regardèrent en cachette, une gauloise au bec, le petit écran muet dans la vitrine des marchands. L'intellectuel ne *voulait* pas entendre parler d'un *nouveau* moyen de reproduction. Il venait à peine de s'habituer aux systèmes mécanique et chimique: l'imprimerie, la photographie, les vues animées, qu'on lui demandait d'accéder à des reproductions plus précises, plus rapides, presque silencieuses, électriques: le disque, bientôt le fil, le ruban, la reprographie.

Le cinéma avait sans vergogne pillé le théâtre et l'opéra, qui devinrent, comme l'art des copistes, subventionnés. La télévision allait, par ses moyens de reproduction électronique, mettre le cinéma à ses pieds. Cela ne se fera pas du jour au lendemain, mais tout aussi sûrement que progresse la marée.

La présence réelle

Dans une société marchande où les citoyens se nomment consommateurs, l'État est la Banque: tout commence et tout finit par le profit, c'est-à-dire par l'accroissement de la propriété, de titres, d'actions, ou d'obligations. Pendant que les politiciens se donnent en spectacle et parlent pour parler, ne légiférant somme toute qu'au moment où les consommateurs peuvent payer de nouveaux services (le gouvernement appartient au secteur tertiaire), mais jamais à contre-marché, les banquiers, hommes d'affaires et businessmen se tiennent dans l'ombre prétextant qu'ils ont des choses sérieuses à brasser.

Le politicien s'occupe du «bien-être» de la société, pour le mieux-être de la société marchande, c'est-à-dire qu'il verse le lubrifiant minimum nécessaire pour que la machine à consommer ne s'enraye pas. L'homme d'affaires a d'autres ambitions: sous son image sérieuse, et malgré ses complets anthracite cousus de fils blancs, le businessman est un animal passionné, cruel, ambitieux, égocentrique et dangereusement impulsif.

L'homme d'affaires est un être passionnel, qui désire accumuler richesses et biens pour gouverner, diriger, dominer. C'est le mercenaire d'une étrange guerre froide. Son intimité avec les sentiments, et le besoin de gagner la guerre et les batailles, son habitude de l'argent, donnée symbolique, lui permettent de rapidement saisir l'importance stratégique des manipulations rituelles.

L'homme d'affaires est fétichiste et anxieux. Il sait qu'à tout moment l'argent peut se dévaluer, disparaître; il dit au capital que celui-ci est insaisissable, ce qui est d'autant plus vrai *qu'il n'existe pas*. Le capital, c'est la lampe du sanctuaire. Allumée, celle-ci affirme la présence *physique* de l'esprit saint. Éteinte, elle n'est plus que lampe sans utilité, comme ces milliers de billets de banque chinois ou allemands après la défaite. Il fallait une brouettée de yuans pour acheter une paire de sandales, car plus personne n'avait *confiance* dans le yuan.En 1945, les Allemands entreprirent de rétablir la *crédibilité* perdue du mark, tant et si bien que celui-ci finit par être beaucoup plus cru que le dollar. Je crois en qui?

Le pouvoir d'achat a remplacé le pouvoir politique, la société marchande libérale a remplacé la démocratie libérale, le consommateur irrité a remplacé le citoyen révolté, les barricades ont forme d'étalage. Liberté, Égalité, Fraternité sont devenues: variété, publicité, satiété. Et seuls les maoïstes peuvent faire des vagues dans l'océan de la consommation car ils ont emprunté eux aussi au rituel un ersatz de foi: leurs slogans réitérés comme le mouvement mécanique d'une presse répondent au murmure des usines à biens de consommation, propagande contre ritournelle, et leur capacité d'envenimer des conflits sociaux sur les lieux de travail ou dans les quartiers, c'est-à-dire de jouer symbole contre symbole, fait d'eux les seuls véritables opposants, minoritaires cependant, aux progrès des réseaux marchands.

Mais l'on ne pourra affirmer qu'ils sont devenus vraiment subversifs que le jour où ils apparaîtront, d'une façon ou d'une autre, intégrés à la publicité. Le système symbolique ne dévore et n'utilise les opposants que s'il en peut tirer des modes, et produire ce faisant de nouveaux codes marchands.

Aimer son chien

En Amérique la télépublicité s'adresse principalement aux «immigrants» qui, parce qu'ils n'ont pas de racines, peuvent s'ancrer dans le terreau que leur proposent les manipulateurs de symboles, et par la suite être transplantés aussi souvent que nécessaire; elle s'adresse aussi aux enfants *avant* qu'ils ne prennent racine, entraînant par là les parents même les plus récalcitrants. Des adultes structurés se retrouvent un jour coincés, les genoux sous une table d'*arborite*, devant un Big Mac sous enveloppe de polyuréthane, le vingt-trois-milliardième peut-être, qu'ils vont tout à l'heure dévorer, pénétrant ainsi grâce à leur enfant télesclave dans l'univers harmonieux des statistiques corporatives.

Le national-consumérisme s'installa sans bruit ni fureur un jour grâce à la télévision couleur. Les images en noir et blanc agissaient peut-être déjà sur le cerveau des citoyens, mais la couleur permit le perfectionnement du message publicitaire, de plus en plus en musique, de moins en moins parlé. En soixante secondes le récit publicitaire utilise tous les artifices nécessaires pour parvenir, étant donné l'état de nos connaissances en psychologie, à créer ce vide nécessaire que nous irons combler tout à l'heure chez le marchand. Et le message sera répété aussi souvent qu'il le faut, d'une façon inversement proportionnelle à l'utilité du produit annoncé.

Plus de trois cents messages hebdomadaires rappellent aux télesclaves qu'ils doivent acheter de la nourriture pour leur chien. L'industrie milliardaire de la nourriture des animaux domestiques procure de l'emploi à des milliers de travailleurs. Certaines régions seraient dans le marasme si les usines d'aliments pour chiens et chats fermaient. Sur les tablettes des supermarchés, les conserves de nourriture pour bébés ont cédé la place à ces aliments préparés. Qui donc oserait mettre fin à ce cycle ridicule? Le consommateur à deux pattes va-t-il renier le consommateur à quatre pattes? L'univers religieux de l'homme a fait place à celui du chien. Mais les expériences de Pavlov servent à conditionner maintenant le consommateur. Publicité plus ou moins subliminale, c'est-à-dire plus ou moins explicite, chaque commercial fait sonner une cloche, dont celle de la tendresse, pour que le propriétaire du chien salive. C'est la démocratie des signes.

Les caméléons

La publicité est à l'art ce que la technologie est à la science. Art et science posent le pourquoi vivons-nous. Publicité et technologie: le comment. Le moteur à explosion, réalisé en 1860 par le Belge Jean Lenoir, mis en fabrication de série par Henry Ford cinquante années plus tard, doit son existence à Lavoisier. Einstein pensa l'atome, un usinard en fit des ogives nucléaires. La technologie est la pratique de la science. De même que cette dernière ne répond plus aux questions des hommes mais à celles, surspécialisées, des savants muets, la technologie, et la technostructure, forment une spirale qui nécessite l'énergie de la publisociété.

Norman McLaren, cinéaste d'animation de réputation internationale, mit deux ans à produire un court métrage intitulé *Pas de deux* qui obtint un prix à Cannes en 1970. Par procédés optiques il avait ralenti et surmultiplié les images des danseurs qui devenaient à l'écran des oiseaux battant des ailes. *Pas de deux* toucha évidemment le goût bourgeois en donnant à un ballet du répertoire une allure cubiste du style «Nu descendant l'escalier». Le film eut un succès considérable et son effet esthétique, dans les salles de cinéma, agissait sur toutes les foules. Il n'en fallait pas moins pour que trois mois plus tard la gaine Playtex et le soutien-gorge Wonder-Bra fussent annoncés à la télévision par un procédé esthétique identique. Les deux ans de travail de Norman McLaren, ses trente années d'expérience en cinéma d'animation et sa démarche cinématographique trouvaient leur aboutissement dans cette bande publicitaire. Le procédé technique, difficile à mettre au point à la caméra de trucage, avait été repris en quelques secondes à l'électronique. La publicité venait de trouver une fois de plus une utilisation *pratique* à une œuvre artistique. Comme la technologie l'emporte, la publicité importe. Un artiste se voyait volé par le commerce. Salarié du gouvernement, McLaren n'en souffrit point. L'art, et l'univers esthétique, venaient, par cette caricature, d'être diminués encore une fois.

Dans les marchés à grande surface, on accroche parfois au mur des reproductions de peintres modernes, encadrées, à des prix intéressants. Or ces Braque, ces Picasso, ces Chagall ne se vendent pas, ils servent, comme des sirènes, à attirer une *classe* de consommateurs qui n'oseraient pas autrement pénétrer dans ces temples de pacotille. Ici l'art sert d'appeau. Le commerçant vous siffle. Là le style de McLaren sert d'appât: la société marchande, pour vendre des soutiens-gorge, doit vendre du style.

L'art appartient au domaine du rituel et par conséquent côtoie le sacré. Peinture, cinéma, littérature sont des productions de sens. Or quand un marchand de soutiens-gorge annonce son *Dici* par ce slogan: «Dici ou rien!» sur une affiche où des oiseaux de Braque (fond bleu pur) parlent de liberté, quand un autre marchand affirme que «Si le sel s'affadit, il reste Sifto», ou quand un vendeur de voitures parle de «la loi du plus Ford», il y a là transposition du rituel au fonctionnel.

«Vous êtes le sel de la terre, et si le sel s'affadit avec quoi le salera-t-on?» Cette phrase du Livre Saint donne sens aux gestes et cœur au ventre. L'homme qui l'entend n'est pas diminué, au contraire. «Si le sel s'affadit, il reste Sifto», c'est-à-dire un produit qui s'achète, et l'homme est réifié.

La publicité *diminue* l'art, saucissonne le style, pervertit le sens, invertit le rapport entre l'homme et la nature. Elle parle d'un monde d'objets manufacturés qui seuls donneraient du sens à la musique, aux dessins, aux récits, aux textes. Dans la littérature sacrée l'homme est le sel de la terre, dans la littérature commerciale Sifto est le sel de l'homme. Le consommateur est né: Sifto lui donne un sens. Dans une campagne réussie, une brasserie canadienne répétait aux Québécois en chanson: «On est six millions, faut se parler...» Mais bien sûr seul le goulot de la bouteille de bière savait parler, comme le sein de la mère. Le consommateur est un être choyé.

La loi du bélier

L'art est la prière de ceux qui n'ont pas la foi. Les croyants qui hésitent et doutent demandent souvent à l'artiste, même athée, de donner visage à leurs dieux. L'art et la foi sont un perpétuel dialogue avec la mort. Les statues disent l'éternité impossible, l'au-delà désiré. La publicité a exclu la mort de son système de références, même quand elle produit des annonces d'assurance-vie: on présentera plutôt, avec un texte correctement compassé, un mioche dans les fleurs, une épouse qui se berce sur la véranda, c'est-à-dire voilà: si vous mourez la vie continue; et l'homme visé, père consommateur, se sentira coupable de sa mort, et le marchand encaissera. Sous forme d'assurance-vie la mort devient un autre objet manufacturé qu'il faut fonctionnaliser.

Si la publicité était au départ le langage de l'industrie, elle est devenue comme l'industrie langue universelle, espéranto des objets. Le voyageur sera étonné de découvrir qu'en Allemagne, en Hollande ou en Belgique, comme au Canada, la compagnie de marchandisage «K-Tel» étend ses ramifications depuis l'Ouest canadien et réussit à vendre, *de la même manière, à la même heure,* au petit écran, *les mêmes produits* dont ces disques passe-partout, *digest* du hit-parade. «K-Tel» a choisi le bonimenteur agressif qui plusieurs fois par soir vient réaffirmer la joie que procurent ses produits. Au marché il serait à sa place. Quand il vient chez chacun de nous il chasse les mânes des ancêtres, les dieux de la demeure, réduit la part de rêve qui devrait exister en chacun de nous. La publicité à la télévision, c'est de l'étoupe dans les interstices où se glissait hier l'imaginaire. Et la télévision devient alors un camp de téléconcentration où l'auditoire captif reçoit la becquée.

L'œil peut sauter par-dessus l'annonce du journal, la main tourne nonchalamment la page. Au petit écran, toutes les huit minutes, la publicité prend charge de votre temps, de votre attention, la station a vendu vos oreilles et vos yeux, vous payez de vos organes le spectacle-support de bandes commerciales. La publicité à la télévision est inévitable... qui donc peut l'éviter? Elle a conservé du rituel les rites, les cantiques, les répétitions, les promesses de paradis, elle est la religion des manufactures, c'est grâce à elle que les hommes et les objets peuvent vivre ensemble, assujettis. Et les hommes sont heureux : chaque fois qu'un sondage vérifie le niveau d'agacement que pourraient provoquer à la télévision les bandes publicitaires, l'on redécouvre que 85% des gens ne verraient pas leur disparition comme un progrès.

Au contraire. La disparition de la publicité à la télévision laisserait aux téléconsommateurs une telle impression de vide que très tôt l'angoisse les saisirait. L'annonce est la joie de la société marchande. Un chapelet d'annonces, un rosaire d'annonces et peut-être sera-t-on exaucé?

En 1975, la Société Radio-Canada décida de supprimer la réclame commerciale à la radio d'État. Quelques mois plus tard, des auditeurs angoissés se mettaient à l'écoute des postes commerciaux privés: *il n'y avait plus de bonnes nouvelles à Radio-Canada.* Il aurait fallu en effet, retirant les minutes publicitaires, concevoir une nouvelle programmation puisque la précédente *s'appuyait* sur ces messages commerciaux. L'information pouvait se permettre d'être noire quand, pour la contredire, une compagnie annonçait une bonne affaire. Sans soldes de voitures ou d'articles de sport, les nouvelles devinrent macabres: Radio-Canada dut dès lors pratiquer le rire macabre, c'est-à-dire annoncer des catastrophes «en rigolant».

En URSS, les nouvelles présentées aux informations sont de *bonnes* nouvelles: on y apprend que des ouvriers ont terminé avant échéance la construction d'un chemin de fer, que le plan quinquennal sera dépassé, que les récoltes de blé en Ukraine sont abondantes, que les cosmonautes aluniront demain.

En fait l'information télévisée en URSS parle elle aussi le langage de l'industrie, qui est en Amérique celui de la publicité. Le capitalisme d'État, en URSS, a autant besoin de propagande qu'ici le capitalisme privé. Par contre, puisqu'il est en selle, il n'en est pas encore à créer des angoisses à satisfaire. Mais le jour où l'offre des produits de consommation dépassera la demande, il faudra bien que l'État «socialiste» apprenne le langage publicitaire.

L'Europe se met lentement à l'écoute de la prière marchande. Les nations européennes, avec sagesse, ont pour la plupart commencé par restreindre la production des heures de télévision. Mais peu à peu, permettant en Angleterre le réseau commercial ITV, en France trois réseaux et des périodes de publicité, les pays des cathédrales se laissent séduire par le marchandisage. Mille règlements et lois, accumulés depuis le Moyen Âge, limitaient les libertés d'entreprendre. Les hommes d'affaires européens devenaient ainsi moins aptes à concurrencer Japonais et Américains. La civilisation est un poids dont le commerce n'a pas besoin: le goût des parkings est inversement proportionnel à la culture. Qu'importe à l'entrepreneur sicilien illettré de faire passer son bulldozer dans l'église en pierres des champs que des sulpiciens français firent bâtir, vers 1760, rue de la Friponne? Il en ferait autant si un Michel-Ange barrait le chemin de sa machine. Le langage de l'art, comme celui des dieux, s'apprend. Ceux qui ne savent parler ni aux dieux ni aux hommes sont violents.

Le scénario quotidien

Si la reproduction photographique et l'avion créèrent les conditions du *musée imaginaire,* permettant d'établir des relations inattendues entre des œuvres d'art, de cultures et d'époques différentes, détruisant l'espace et le temps qui séparaient la statuaire maya du totem colombien pour créer d'*autres* espaces et de nouveaux temps, la télévision de même manière allait créer un village imaginaire.

Les œuvres d'art du musée imaginaire n'existent que par leur *reproduction*; certaines, minuscules, ont à l'œil des allures monumentales, d'autres, par l'agrandissement photographique, représentent en gros plan des *détails* que l'artiste n'avait voulus que comme détails inaperçus. Les Beaux-Arts sont transformés par la reproduction et des peintres produisent des œuvres après avoir feuilleté le cahier des toiles de Van Gogh. Chaque peintre peut posséder chez lui des parties du Prado, du Louvre, du Metropolitan Museum ou de l'Albert de Londres. Des enluminures persanes avec leurs chevaux ailés et leurs baigneuses figées appartiennent désormais aussi bien au coloriste méditerranéen qu'au dessinateur du Colorado.

Or pendant l'été, aux différentes chaînes de télévision disponibles dans la seule région de Montréal, on offre, *hebdomadairement*, le choix de deux cents (200) longs métrages dramatiques. Des histoires américaines côtoient des récits suédois, des mélodrames allemands, des comédies anglaises, des tueurs français pourchassent d'extravagantes Italiennes. Chacun de ces deux cents films hebdomadaires appartient à une collection de poche du cinéma. C'est une richesse extraordinaire à la portée de tous les yeux. Mais c'est aussi le mensonge électronique par excellence puisque ces deux cents films sont télédiffusés en pièces détachées, interrompus toutes les *huit* minutes par un message commercial qui devient, peu à peu, l'information substantielle. Les longs métrages passent, la publicité demeure.

Or cette publicité justement se doit d'interrompre le récit de Fellini ou de Bergman *sans qu'il y paraisse.* Comme si, dans un roman de Saul Bellow, l'éditeur réussissait à glisser, à toutes les deux pages, un paragraphe chantant les vertus d'une marque de cigarettes. Il faut bien que le téléspectateur reçoive le message, mais sans irritation. C'est donc en empruntant les structures mêmes du récit dramatique que le court métrage publicitaire viendra s'insérer entre deux séquences des *Sorcières de Salem*. Exemple: première image, un coup de téléphone impromptu: «Belle-maman, dit la jeune épouse, s'annonce pour tout de suite.» Le jeune couple atterré regarde autour de lui et réalise soudain dans quel désordre il vit: les jouets de bébé jonchent le sol, la poussière ternit les meubles, le salon ressemble à une consigne. Puissh! Une idée! Voilà le sauveur! Le héros! Le magicien! Celui dont nous avons tous envie et besoin! *Pledge,* une cire en aérosol. Le jeune homme et l'épouse se transforment en femmes de ménage et à toute allure font briller les boiseries. Belle-maman et beau-papa peuvent arriver: la réputation de la jeune ménagère est sauve et la voilà qui échange avec son époux un regard attendri pendant que celui-ci cache l'ourson de bébé dans l'électrophone: *Pledge* a sauvé ce ménage, puisqu'il aide au ménage. Et Steve McQueen peut continuer à tirer, Humphrey Bogart à menacer, Yves Montand à se fâcher, la Magnani à se rouler au lit, ils seront tout à l'heure interrompus à demi par une marque de tapis.

Ce qui reste dans le roc c'est l'empreinte fossile du reptile, une image nette de la colonne vertébrale du poisson, un dessin précis de la structure de la fougère préhistorique. Ce qui reste dans la tête du téléspectateur c'est la structure fossilisée du récit, identique du long métrage au message publicitaire, mais ce dernier, en se situant d'emblée au niveau de l'imaginaire, peut substituer ses marques de commerce aux mythes de l'art cinématographique, c'est-à-dire aux grandes figures de l'art et de la littérature puisque le cinéma a pillé aussi bien le musée que la bibliothèque pour se constituer un répertoire. La tragédie grecque en bottes de cow-boy, la mythologie américaine, décalque des combats divins du bassin de la Méditerranée, restaient un dialogue entre la vie et la mort. *Pledge* ou *Persil* appartiennent au dialogue avec l'argent.

Un détournement

Il fallait cependant, pour que les industriels aient la main haute sur la société, avec les économistes leurs diacres, qu'ils *neutralisent* d'abord la représentation, *art* ou *religion*.

La représentation, spectacle ou texte, peinture ou musique, est la *réalité de l'art*. C'est une production de sens, la réalité — ce que nous nommons la réalité —n'en ayant par elle-même aucun. L'art, comme la religion, l'un pour les non-croyants, l'autre pour les fidèles, donne du sens à ce qui n'en a pas. «Notre père qui êtes aux cieux, donnez-nous aujourd'hui notre sens quotidien...», ainsi soit-il, et non pas autrement.

La réalité de l'art *seule* peut remettre en question les autres systèmes de représentation, dont l'argent, et la valeur d'échange d'objets qui ne s'achètent plus pour ce qu'ils sont, mais pour ce qu'ils représentent.

Puisque les marchandises sont elles-mêmes *en représentation*, le marché électronique se devait de leur appartenir, et l'art de devenir leur fidèle serviteur. Racine, Corneille ou Molière étaient serviles et connaissaient les limites de la liberté que leur accordait le Prince; la bourgeoisie se paya à l'opéra ses artistes, et les marchands d'Amsterdam leurs peintres; les patrons des arts seront donc désormais les grandes corporations et leurs ministres des représentations, les directeurs de programmes et les publicitaires.

Ces derniers apprendront rapidement à insérer dans le tissu artistique que les chaînes de télé déroulent à cœur de jour devant des spectateurs ébahis, le message marchand, fleur de plastique parfaitement imitée dans un bouquet d'iris naturels. Et un jour il n'y aura plus, dans le vase électronique, qu'une seule vraie fleur parmi ses sœurs artificielles. Plus personne ne s'en formalisera.

Ce qui est en cause, c'est un *détournement* de l'art, et non seulement son asservissement; la société marchande détient l'art en otage et fait chanter les artistes, les roule et les utilise dans un *simulacre* qui se nomme: «le commercial», «le spot», «la publicité de marque», mini-théâtre de vingt, trente ou soixante secondes, récit parodique qui a *toutes les apparences de l'art,* mais qui ne donne de sens qu'à la *consommation.*

Ce n'est pas la télévision qu'il faut rejeter. Ce qu'il faut demander, c'est: pourquoi la télévision? pour qui? Elle est en ce moment prisonnière; de qui?

Le rituel exige un style de vie, les rites demandent une vie de styles. Le rituel est intégrateur, global, il a pour fonction de faire communiquer avec un au-delà, divin ou mythique. Le rituel permet et encourage la présence de l'imaginaire, c'est-à-dire du sacré. Puis dans une vie quotidienne faite de labeur et de travail, l'homme demande au rituel de donner un sens à ses souffrances et à sa vie. Le rituel va jusqu'à prêter vie à la mort. Ses rites peuvent changer, et changent effectivement suivant le vouloir des princes du royaume ou de l'Église, mais jamais le rituel lui-même, théologie, ne varie sensiblement. Le langage de Dieu s'accommode des cultures, des saisons, des habitudes alimentaires ou même sexuelles mais demeure parole divine. Le mythe, c'est en quelque sorte ce dont on parle tant qu'il finit par être plus grand que lui-même. Personnage, lieu, animal, objet, musique, le mythe est divin, et dieu est le mythe. Le rituel appartient à l'immortalité.

La société marchande n'a peut-être pas tué les dieux, mais elle leur a subtilisé leur langage: les rites. Et le verbe s'est fait cher: l'agence retient quinze pour cent d'un budget de publicité de huit millions de dollars pour vendre des désodorisants, en 1974, pour la seule compagnie Lever. L'homme peut fermer les yeux, détourner la tête, il ne se bouche pas les oreilles et les marchandises lui parlent fort: le volume sonore des publicités télévisuelles est augmenté de 40% par rapport au niveau *habituel* de diffusion.

Au biberon

Jean-Louis Servan-Schreiber dit de la publicité qu'elle est *la drogue des media.* Il faut préciser un peu cette image: les media drogués, malades, deviennent des *pushers* qui n'ont de cesse de racoler le client partout, à toute heure, pour lui transmettre le goût permis des objets manufacturés.

Les savons, les dentifrices, les automobiles, les fourrures, les luminaires, les boissons, les restaurants de *fast-food,* les disques pop, les nourritures préfabriquées pour hommes, chiens et chats, occupent le principal temps d'antenne dans les minutes de bonheur électronique. Ne s'annoncent que des produits fabriqués en grande série, pour lesquels l'offre dépasse la demande, et dont la promotion utilise les rites.

Le rite est une manipulation de symboles, le pain dit la chair, la chaire dit l'autorité, les chandeliers la richesse, la bougie allumée la vie, l'encens la gloire, le blanc la joie, l'orgue la puissance, le chant grégorien l'ordre. À l'écran le chat dit la souplesse, la femme la convoitise, le détergent qui gicle la copulation, l'alcool la sociabilité, et la ritournelle la chansonnette des industriels.

Les mêmes compositeurs et interprètes entonnent ici les airs publicitaires et là des chants patriotiques, d'amour ou de libération. Le rythme du rite fait danser les enfants sur les trottoirs, les comptines ancestrales sont remplacées par les airs de la pub, la fête dure toute l'année et n'attend plus les saisons. Puisque de toute manière les centres d'achats sont climatisés, les désirs doivent naître toute l'année, à mesure qu'apparaissent sur le marché des objets nouveaux. Dans cet univers du rite, les enfants, aujourd'hui comme hier, sont les premières victimes. L'empreinte qui marquera la vie du jeune consommateur, oie cendrée du marchandisage, sera indélébile comme le baptême. L'âge de raison devient même l'âge de la première consommation, on s'adresse à l'enfant chez lui, dans la salle de jeu, dans la cuisine, dans sa chambre, au salon: les jeux manufacturés et mornes s'empilent dans les armoires, car à la télévision les téléastes excellent à donner vie aux objets qui ne s'animent hélas plus le lendemain de Noël dans les mains de l'enfant. À peine acheté, le jouet de l'année est délaissé, mais petit consommateur deviendra grand; les marchandises qu'on lui vend ne font pas appel à l'imaginaire, à peine à son imagination, surtout aux images. Une image est fugace et le jouet se fane plus vite qu'une fleur sauvage. L'enfant dépité retourne à sa télévision où d'autres mirages, et leur reflet mort-acheté, le font peu à peu pénétrer dans le cercle du télesclavage. Adolescent, il se serait peut-être indigné, mais à la puberté il aura déjà une structure de pensée marchande.

L'adolescent «révolté», issu de milieux aisés, se verra offrir une voiture nommée Renégate, haute sur pattes, promesse de liberté, image de paysages vierges à conquérir, à traction puissante, aux pneus agressifs, à la carrure guerrière, et dont les révolutions du moteur seront les seules explosions de sa vie. La voiture a un fil à la patte: le poste d'essence, et par celui-ci, et ses cartes de crédit, la société marchande vendra à l'adoconsommateur cassettophones et barbecues, appareils-photo et émetteurs, *denim* et boissons que la télévision ne peut plus, pour l'instant, lui offrir.

Le télésportif

Sur la route qui mène de St.Alban à Burlington, Vermont, on peut voir un citoyen des États-Unis qui a accroché à une longue antenne de télévision le drapeau américain. Il ne pavoise pas en vain. Les hordes romaines, une fois les provinces étrangères conquises, s'assuraient qu'une route pavée conduisît à Rome, où menaient tous les chemins. Avec les Romains de Washington la *via happya* est électronique. Conquête sans douleur, bombe propre, autoroutes mentales. Puis circulent les biens et les dollars, sesterces courants.

Du pain et des jeux: le sport électronique a remplacé avec bonheur le forum où des lions africains croquaient des chrétiens parce qu'ils étaient mal nourris. Les mal nourris d'aujourd'hui se tapent sur les cuisses quand un joueur de base-ball tape sur une balle. Il y a le sport, et il y a les jeux. Mais il y a certes aussi le «sport commercial», comme on dit à Brooklyn. Le «sport commercial» c'est celui qui fait vivre et vit en retour de la réclame commerciale. C'est un sport où les joueurs et les emblèmes sont interchangeables, où l'on achète des «gôleurs» et l'on vend des avant-centre, où l'équilibre des gains et pertes est mesuré à l'aune de la rentabilité.

Dans le sport marchand la vedette est un objet de convoitise, elle est payée cher, se laisse aduler, avec l'aide des *public relations* qui savent acheter les journalistes et retenir l'attention des postes de télévision. Tout, à l'intérieur des circuits «professionnels», est pensé en fonction de l'argent. Ils existaient bien avant d'être télévisés, avec leurs mythes mathématiques de moyennes et de coups d'éclat, de mètres courus, de points comptés, d'apparitions au champ. Ces grands jeux équilibrés comme des œuvres d'art, tout en souplesse, n'ont eu qu'à s'épanouir à la télévision. Pour la qualité des couleurs les éclairagistes forcèrent sur le vert et le jaune, firent transformer les pelouses un brin, et les uniformes, mais pour le reste, y compris la durée des matchs, tout fut inchangé. En Amérique du Nord où la programmation est minutée (sous prétexte des fuseaux horaires), deux événements seuls peuvent bousculer l'horaire: la mort d'un président des USA ou une partie quelconque d'un sport marchand. Base-ball, hockey, football, golf et le reste sont sacrés.

Ils représentent un suspense tranquille joué dans le respect de la loi et de l'ordre, avec des punitions aux joueurs récalcitrants. Peut-on souhaiter une image plus sereine de la société idéale où chacun dans son uniforme, avec son numéro, tient sa place et soigne sa performance pour un bon salaire? Cette image idyllique, le rythme des jeux commerciaux, dont les temps morts servent à la réclame, car il y a longtemps que l'on sait ne plus interrompre un sport pour y placer son produit, l'intégrant au *pageant*, ces longues après-midi, ces longues soirées de télévision sportive sont certainement, autant pour ce qui est du joueur que de son propriétaire et du téléspectateur, le *moment de grâce* de la fin de ce siècle. Une bière glacée à portée de la main, l'homme, produit de plusieurs milliers d'années de recherches génétiques, contemple alors le nec plus ultra de l'idéologie. L'équipe sportive, composée de virtuoses, ne crée pas, elle joue, comme un orchestre, sous la houlette de son entraîneur.

Il ne peut y avoir de fin à cette succession mirifique de jeux et de combats civils. Qui perdit hier gagnera demain. Les esclaves se pavanent sous les projecteurs pour la joie des télesclaves vendus en masse. Celui qui achète des voitures, de l'essence, des boissons et mange des dîners congelés est à l'écoute, c'est la sport-vision, elle remplace les miracles de la société d'hier, et calme tout autant les foules. Un fanatique du base-ball ne sera jamais dangereux pour l'organisation politique ou marchande, peut-être un peu vicieux, mais cela, justement, la télévision en fait son affaire.

À Montréal un club de base-ball professionnel, les *Expos*, dont *aucun* joueur n'est Montréalais, Québécois ou même Canadien, fait vibrer les foules. Mêmes élans au football dont les joueurs ne viennent pas de Gaspésie. Les télésportifs ont de l'identité nationale une vision laineuse: «Montréal» tricoté sur un chandail tient lieu de géographie et de naissance. Tout, dans le sport télévisé, est abstrait. Dans des centaines de tavernes et de bars jouent perpétuellement des appareils dont seule l'image rend compte des événements sportifs, quand un but est compté le barman amène hausse le volume du son pendant quelques secondes, puis ramène le téléviseur au rôle de serpent charmeur. Qui aurait pu prédire qu'un écran électronique donnerait soif, comme une marche dans le désert?

Tuer c'est consommer

La publicité, qui a trouvé son épanouissement à la télévision, est source de violence, comme le barrage source de lumière. Le langage des objets, fruits offerts, ne peut suggérer que des satisfactions primaires. Or à cela s'ajoute l'exaspération (publicitaire) de la satisfaction *immédiate* que tout message doit suggérer. Toute pauvreté, dans nos sociétés marchandes nord-américaines, est relative. Lors de la panne d'électricité qui, en juillet 1977, frappa New York parce que trop de climatisateurs fonctionnaient simultanément, les hordes de consommateurs qui pillèrent des boutiques sans protection, vieillards blancs, femmes portoricaines, adolescents noirs, s'emparèrent de magnifiques biens de consommation, séchoirs à cheveux, fours à hot-dogs, téléviseurs, malaxeurs, tapis... Pas de nourriture, car peu de consommateurs à New York sont dans la misère à ce point... Les Wisigoths new-yorkais qui n'appartenaient pas au sous-prolétariat mais aux classes moyennes faisaient peine à voir, ils étaient laids, dans les rues, de cette rapacité qu'induit le conditionnement psychologique de la publicité martelée. Tout ce qui brille est or et provoque le désir irascible du brochet des villes.

Les vandales de la panne ne cherchaient pas à remettre en cause la propriété privée et les rapports marchands: ils s'offraient en solde dans 2000 magasins les biens dont rêve tout enfant-adulte que vise le message publicitaire à l'aube de la pensée formelle. Le téléviseur est le grand livre d'images des illettrés de l'électronique, de 7 à 77 ans. Les consommateurs deviennent des sangsues d'apparence vaguement humaine, affalées devant l'écran, buvant la culture invertie de «l'art commercial».

Parfois des pédagogues s'affolent. Ils inventent alors *Sesame Street* pour les tout-petits, et mettent l'alphabet en comptines, créant aussi de merveilleuses marionnettes en peluche. Or non seulement ils sont forcés d'imiter dans leurs scénarios la structure de la bande commerciale pour atteindre leur but, ce qui révèle tout de même qui domine réellement les ondes, mais encore les personnages de cette émission *pleine* de bonnes intentions se retrouvent bientôt dans les réclames, le plus chéri vendant bien sûr du beurre de cacahuètes...

Quand il n'y a pas de panne d'électricité et qu'elles peuvent difficilement satisfaire *leurs instincts de consommateurs*, les ventouses humaines pourraient s'ennuyer: la société des marchands ne peut risquer de les perdre. Il y a plusieurs années quelques fabricants se regroupaient pour offrir des prix impressionnants (électrophones, voyages à Paris, batteries de cuisine) aux gagnants de jeux télévisés. Il y avait plusieurs sortes de quiz: chacun visait une couche de la société des consommateurs, les styles et les questions variaient selon l'impact que désirait le publicitaire. La question posée servait à établir la crédibilité d'une *distance* (toute puritaine) entre l'objet offert et son futur utilisateur. Questions et réponses *tenaient lieu de travail.* C'était l'époque encore heureuse où les publicitaires devaient cacher leurs jeux. Quelquefois ils furent pris à tricher, mais cela faisait *partie* du jeu. Qui n'a jamais triché au *Monopoly*?

Depuis le cap des années soixante-dix on ne s'embarrasse plus du *travail*. Les émissions américaines les plus populaires (et qui préfigurent la barbarie nouvelle et la violence) sont des heures où un animateur *donne* de somptueux biens de consommation à des participants dont on exige une seule qualité: l'hystérie. Le *travail* du consommateur, à l'écran, est de *mimer* le plaisir le plus violent à la vue d'un congélateur garni, plus trois mille dollars en bons d'achat et ainsi de suite. La crédulité est un abîme.

Ceux qui ont vu ces émissions feront le rapport entre le pillage et la publicité: ils verront des représentants *typiques* d'ethnies, choisis pour dire leur bassin de consommateurs, venir littéralement éjaculer de plaisir à la grecque, à la négresse, à la portoricaine, à la juive, à l'italienne devant le rideau qui en s'ouvrant découvre un objet manufacturé en plus grande quantité que nécessaire, et dont l'homme se serait passé de toute manière.

Ces émissions sont une ode à la société abstraite: il n'y a plus de bonheur que dans les objets, il n'y a plus de médiation pour se les procurer, le travail est déclaré *inutile*. D'où les jeunes voyous, voleurs et assassins du Bronx qui tuent pour quelques dollars, pour se procurer une auto rutilante, un complet et des chaussures à la mode, de quoi se payer la traite au *junk food* du coin, débiteur de pizzas en série, de poulets en morceaux, de saucisses ou de Big Mac. À New York on tue tous les jours, de jeunes garçons assassinent des femmes, des épiciers, des vieillards pour satisfaire des désirs à bon marché, dans un contexte de violence qu'encouragent les marchands de drogue. Ceux-là, plus évolués, pour le prix du sang se payent des villas avec piscines et des sénateurs obéissants. Pour le reste, la drogue est la carte de crédit du rêve. Et le drogué dans son corps est en fait *l'endetté* du système de consommation. Le crédit sur la mort dépasse la mort à crédit.

La gérantologie

On imagine la fabrication en série des mouchoirs de papier; d'énormes rouleaux de cellulose cisaillés par de longues guillotines luisantes, un robot qui reçoit les tranches, les plie l'une dans l'autre et les tient par paquet de cinquante devant une troisième machine, celle-là à coller des boîtes. La compagnie Kleenex, qui détient une partie importante du marché, ne vend d'ailleurs plus des mouchoirs de papier, sa réputation est faite: elle vend des emballages, des boîtes de différentes couleurs pour séduire des consommateurs sensibles au rose, au jaune, au bleu... Ses contenants sont aussi imprimés, comme des tissus, de patterns choisis mode pour les différentes classes sociales. Des dessins *primi-*

tifs esquimaux ornent la boîte de série verte des jeunes bourgeois. Sur la table de nuit elle ne dépare pas, car elle *n'a plus l'air d'une boîte de Kleenex*, mais d'un objet décoratif, au même titre qu'un bibelot acheté aux puces.

Mais les mouchoirs, si vous tirez, viendront à la chaîne, comme ils ont été fabriqués. Chaque civilisation trouve spectacle à son pied. Concert de chambre, orchestre symphonique, opéra comique, *pageant*, théâtre, cinéma ont — à un moment de l'histoire — représenté, aussi bien par leur structure de récit que par leur célébration et leur public, une coïncidence parfaite entre une civilisation et sa forme artistique. Hier, au cinéma, les grandes vedettes représentaient la continuité du travail dans des récits multiples. La star avait comme mission d'uniformiser l'inattendu, de rassurer le spectateur inquiet. Ces grandes actrices et ces grands acteurs s'étaient distribué les rôles (l'ingénue, le gangster au bon cœur, le cow-boy généreux, le sadique toujours puni, le père rouspéteur et le reste) comme au panthéon les déesses et les dieux avaient chacun leur caractère. Qui jouait Vénus, qui Bacchus, qui Prométhée. Les acteurs et les actrices de l'Olympe cinématographique ne vivaient pas un cran plus bas que leurs homologues de la Grèce antique: les mêmes relations difficiles avec les mortels, les mêmes combats entre eux, les mêmes fonctions, permettant au commun un dialogue avec l'au-delà. Pas plus que Junon la grande star ne mourait. Et sa photographie épinglée sur le mur, comme une icône, rappelait que l'univers plein de surprises pouvait vous avoir fait naître dieu, ce qui se révélerait un jour. En attendant vous travailliez à l'usine, à la chaîne d'assemblage. Les dieux habitaient Hollywood aujourd'hui désert comme les montagnes helléniques chauves.

Vous n'êtes plus à l'usine: un robot vous y a heureusement remplacé; on vous occupe à gérer la circulation des biens, leur facture, leur reproduction. Vous êtes de la classe des technocrates, plus ou moins spécialisés, à une distance plus ou moins grande de l'ordinateur qui sans fatigue stocke des données. Les cartes perforées et le ruban magnétique sont les nouveaux outils indispensables. Téléphone, télex, télétransmission, satellite, le monde est devenu distant et proche à la fois, mais de moins en moins chaud. L'animal en cage est ce caissier dans un cube de verre qui, de peur de se faire voler, n'échange plus avec le client de la station-service que par tiroir à coulisse. Un crayon. Une carte. Une facture. C'est l'ère des gérants, le royaume des managers qui savent manipuler les inventaires et les talents.

Le chauffeur de taxi, à New York, vous tourne le dos. Entre vous et lui un grillage impénétrable, une vitre antiballe, un guichet prophylactique. On ne se parle plus que pour régler la course, vous ouvrez la porte vous-même et n'attendez plus un sourire. De la *manufacture à l'usine* il y a toute la distance qui sépare *produire* des objets que l'on peut utiliser et *regarder* se fabriquer des biens pour lesquels on n'a vraiment aucune utilité. Plus personne, ou presque, ne produit ce dont il a besoin. Chacun rend *des services*, mais le troc est impensable. Qu'est-ce donc que le journaliste pourrait échanger avec le chauffeur de taxi? Des informations! Qu'ils ont tous deux puisées aux mêmes sources: la télévision.

Le discours écologique

La pensée symbolique, pratiquée par Lamartine ou Baudelaire, n'a plus de secret pour les «spécialistes en communication», poètes bien rémunérés dont les succès de public enrichissent l'iconographie populaire. Chaque enfant et chaque adulte se promènent aujourd'hui dans une forêt de symboles dont la densité et la richesse laissent bien loin derrière le système d'interprétation freudien des rêves et des relations. Les symboles phalliques guillerets de l'univers répressif, puritain, juif ou catholique du docteur viennois sont depuis dix ans devenus des outils vivants d'association commerciale. L'association libre n'est même plus concevable: chaleur ne renvoie plus au sein maternel, mais à Esso Imperial. L'imaginaire a été envahi, à mesure que l'Afrique retournait à son histoire, et les colonies équatoriales sont désormais les cerveaux fragiles des consommateurs occidentaux.

Le discours commercial doit être court, récurrent, simple, allusif, musical et agréable. Il doit changer constamment à l'intérieur de sa structure: si trop de personnages soignés aux dentitions éclatantes rendent le message fade, on aura recours, pendant un certain temps, à des personnages laids ou hors série. Un pachyderme chauve peut, pendant quelques semaines, mieux vendre une bière qu'une soubrette coquette. L'essentiel est de ne pas quitter le cadre du délire publicitaire, parole schizophrénique qui manipule des reflets comme s'ils étaient une réalité.

Il serait intéressant de savoir comment est apparue, dans le vocabulaire quotidien et politique, la notion de «qualité de la vie». N'est-elle pas née quand la *quantité* ne trouvait plus de débouchés faciles? La «qualité de la vie» est une notion idéologique tout issue du commerce électronique. Avant l'arrivée des jésuites, les Hurons n'auraient jamais pensé utiliser une telle expression, la «qualité de la vie» étant *ce qu'elle était*. Les disciples d'Ignace de Loyola dégradèrent l'environnement. Les Hurons furent parqués dans des réserves, à peine plus salubres que les camps palestiniens, mais au moins habitaient-ils en pleine nature... Il suffit de quelques années aux I.T.T. de toute nature pour que le bois, les rivières et le saumon perdent leur «qualités de vie». Les Hurons comme les urbains, victimes des exploitations quantitatives, sont cependant assez riches maintenant pour «se payer de la qualité». C'est ce qu'offrent les politiciens à la traîne des écologistes.

Jamais le silence

Si la télévision présente parfois matière à réflexion, surtout elle empêche de réfléchir. Après une émission particulièrement réussie on ne fait jamais de fondu au noir et au silence, une publicité vient *distraire*; tout à l'heure des enfants mouraient dans le Sahel, maintenant des enfants envahissent les comptoirs d'un MacDonald. Tout s'enchaîne, comme une ronde, et la farandole de la représentation électronique produit plus de biens symboliques que l'on en a besoin. Si, dans les bibliothèques, il était défendu de se parler, à la télévision il est interdit de se taire. C'est un moulin à prières, qui débite ses tranches d'irréalité comme pour conjurer le sort. Le bruit de l'usine où il est impossible de se parler, le fond sonore de MUSAK qui interdit de rêver, le marmottement de la télévision qui interdit de s'arrêter ne condamnent pas l'homme à l'imaginaire mais au discours marchand. La parole est d'argent. Et quand parle l'argent, il n'est plus question de laisser l'esprit divaguer. Vous êtes programmé, des informations au bavardage léger au conte pour enfant au feuilleton néo-réaliste au feuilleton policier au magazine d'information scientifique aux informations au sport au téléfilm. Jour après jour, *sans une seconde d'arrêt*. Tout poste de radio, toute chaîne de télévision qui interrompt le débit de son fleuve électrique *perd* son permis d'exploitation. L'État ne peut plus courir le risque du silence.

Ce bavardage audio-visuel neutralise donc même les meilleurs éléments d'un outil de communication extraordinaire parce que sa fonction n'est pas de créer des différences mais des uniformités. Dans la vallée électrique de Josaphat, tous les téléconsommateurs doivent être semblables et ressusciter chaque fois qu'un produit leur est présenté.

Les anthropophages

En fait les structures économiques mondiales (impériales) font en sorte que la nourriture et les biens sont exclusivement vendus à ceux qui ont de l'argent, et non pas distribués à ceux qui en ont besoin. En Haïti, où 10000 personnes meurent de faim chaque mois, les marchands exportent toujours viande, fruits et riz. La mangue par exemple se vendra un dollar à Montréal; elle ne vaudrait que 25 cobs à Port-au-Prince, c'est-à-dire 5 sous. Le Nord-Américain se doit donc de «consommer» la production mondiale presque à lui seul; c'est *son rôle*, puisqu'il est *le parfait* consommateur. Et pour l'aider la télévision lui renvoie à toute heure l'image d'une vie idyllique en Amérique devenue paradis (parodie) publicitaire. Peu à peu le murmure marchand s'amplifie jusqu'à couvrir la voix de ceux qui meurent pour que vivent les consommateurs. La publicité cache la mort des autres. Entre les hommes exploités et ceux qui les consomment, on trouve *l'écran* de la télévision.

CHAPITRE II

DES DIEUX POUR NOUS RÉGIR

Cependant que les intellectuels montréalais se demandent s'il faut écrire en joual, en québécois ou en français, les enfants de Californie apprennent le Cobol, le Fortran, le Basic, le Logo et cent autres codes de manipulation des ordinateurs.

Cependant que les Québécois se préparent à donner ou refuser à leur gouvernement un mandat de négocier la souveraineté-association, la notion même de souveraineté nationale se transforme sous nos yeux.

Cependant que les provinces du Canada discutent en vue d'établir un juste prix du pétrole national, le pays demeure vulnérable pour tout ce qui touche à l'industrialisation. Le Canada exporte des matières premières, bois, pétrole, blé, minerai, pour payer des produits importés de haute technologie. De la pitoune contre des téléviseurs: c'est l'état de notre économie.

Or il semble bien que ceux qui dirigent la plus récente révolution de l'information nous ont pris en charge cependant que nous nous amusions dans la chicane. L'information, dit-on justement, c'est le pouvoir. Les hommes des cavernes qui inventèrent le langage l'ont emporté sur les grands singes leurs cousins. Les tribus qui pratiquèrent l'écriture purent dominer le monde. L'imprimerie permit aux nations occidentales de sortir du Moyen Âge. Aujourd'hui l'ordinateur annonce la quatrième révolution de l'information au son des guitares électriques. L'univers des ordinateurs et de ses robots va permettre à ses magiciens de nous transformer en vassaux.

Nous appartenons à la société des livres, des revues et des journaux. Nous n'aborderons pas le XXIe siècle. Jusqu'à tout récemment les bibliothèques publiques mettaient à la disposition des citoyens une information scientifique, technique et littéraire gratuite. L'information appartenait de droit à ceux qui désiraient s'informer. Désormais, avec l'apparition des banques de données, l'information est devenue une marchandise comme les autres, à laquelle n'auront droit que ceux qui pourront payer cher. Les individus et les peuples seront désormais riches ou pauvres d'information comme ils sont aujourd'hui riches ou pauvres de nourriture. On sait en effet qu'il y a sur terre suffisamment de nourriture pour tout le monde. Ceux qui meurent de faim ou souffrent de famine et de malnutrition ne peuvent tout simplement pas se payer les céréales que produisent les pays riches. Il en est de même désormais pour l'information technique et scientifique. Déjà stockée par des firmes majoritairement américaines, cette information n'est disponible aux nations et aux sociétés que si elles sont en mesure de l'acheter.

Cela revient à dire que la guerre de conquête des territoires a été remplacée par l'envahissement des cerveaux. À la bombe atomique on a substitué la bombe informatique et le pouvoir peut continuer d'appartenir aux plus forts sans qu'ils aient besoin de tuer, de détruire, de déployer des troupes ou de gérer un pays conquis. Il suffit que l'ennemi devienne un client de la production mythique hollywoodienne pour ses loisirs, et qu'il s'abreuve pour sa science aux banques et services américains d'information par ordinateur. Cette transformation de la stratégie de conquête des États-Unis échappe encore à la majorité des conquis.

L'histoire de la révolution documentaire se passe principalement en Californie où le gouvernement américain investit depuis 1945 des sommes colossales dans l'industrie de guerre. Or à mesure que les armes devenaient de plus en plus sophistiquées, les militaires durent recourir à des systèmes de traitement des données de plus en plus rapides et de plus en plus précis. Pour manœuvrer des flottilles d'avions supersoniques, des sous-marins atomiques, des fusées à ogives multiples, pour prendre connaissance de terrains éloignés que seuls des satellites pouvaient épier, pour vérifier les balayages possibles des armes tactiques, pour simuler des attaques nombreuses et choisir la stratégie la plus efficace, les généraux américains eurent recours aux ingénieurs californiens qui développèrent une gamme d'outils de précision dont le cœur est l'ordinateur.

C'est ainsi que la Californie devint le haut lieu de toutes les recherches et de toutes les violences, où les universités, les laboratoires, les multinationales, les sociétés de recherches fédérales et les petits entrepreneurs privés mirent leur génie en commun au service des guerres robotisées, dont celle du Vietnam fut la plus spectaculaire et la plus corrosive.

Or à la fin de la guerre du Vietnam, quand les Américains se retirèrent, «vaincus» par l'entêtement des indigènes, ils entreprirent simultanément une nouvelle conquête du monde, tout aussi pensée par les militaires, mais dont les armes seraient le transistor, le tube cathodique, les gaufres de silicium, les ordinateurs, les disques de mémoire et les banques de données.

Pour la majorité des individus, l'informatique est une dimension de la comptabilité. La banque du coin de la rue s'est informatisée, les transactions financières sont maintenant symboliques, un code, un chiffre, et l'argent circule d'un compte à un autre. On est loin du troc en nature, où l'on payait le médecin avec dix sacs de pommes de terre; on est aussi loin de l'échange en papier-monnaie. La personne est un numéro sur carte plastifiée. Le travail est devenu immatériel.

Mais si l'ordinateur, dans la vie domestique ou le commerce, sert principalement à régir des états de compte, dans l'industrie il a une autre fonction beaucoup plus importante, celle d'être une ressource qui permet de faire de justes prévisions, de prendre des décisions avisées, d'investir dans des secteurs rentables et de coloniser, pour ainsi dire, le futur. Les ordinateurs et leurs prolongements, le téléphone et le tube cathodique, les fibres optiques et les satellites ont donné naissance à une nouvelle quincaillerie qui se nomme télématique et à une nouvelle pensée que l'on dit logicielle. La société qui dispose de ces outils peut prévoir, prédire et précéder celle qui continue à utiliser les systèmes d'information de l'imprimé.

En effet, l'information technique et scientifique dont on peut avoir besoin est devenue beaucoup trop vaste à manipuler de façon traditionnelle. Un rapport de l'OCDE (*La prévision technologique,* 1967) faisait état pour 1963 de 35 000 revues scientifiques dont 6 200 américaines. Quelques années plus tard, un rapport de l'UNESCO (Paris, 1971) situe leur nombre entre 50 000 et 70 000. On peut lire dans le *Monde diplomatique* (novembre 1979): «Deux millions d'écrits scientifiques sont mis en circulation annuellement, soit 6 000 ou 7 000 articles PAR JOUR ouvrable. Suivant une autre étude, articles et rapports scientifiques et techniques totalisent 250 millions de pages par an. C'est 20 millions de mots par jour. Cette production courante s'ajoute, bien entendu, au stock précédemment accumulé. Celui-ci a été évalué à 10 billions de caractères alpha-numériques, soit 10^{13}». Or si en littérature il ne faut pas avoir tout lu, en science et technique, où la notion de progrès existe, on ne peut ignorer la moindre découverte. Il faut convenir que ceux qui ont le meilleur système de collecte des données, de classement, de stockage et d'accès seront ceux qui domineront le monde scientifique et technique. Les compagnies offrant de tels services deviennent des «consultants» essentiels et souvent établissent la stratégie de prospérité des autres.

C'est à ce point précis que se situe la rupture entre l'ancienne notion de souveraineté territoriale et politique, et la nouvelle que l'on pourrait définir par rapport à l'information. «Il appartient à chaque nation, dit Serge Cacaly, de détenir les clefs de son développement, d'être responsable de son information. L'indépendance nationale est à ce prix.» Ceux qui sont pensés par d'autres ne sont pas souverains, c'est la géo-information. Et les Suisses d'ajouter: «Les petits pays sont dans l'impossibilité pratique et financière d'avoir une documentation complète pour tous les domaines. Mais d'autre part, pour eux plus encore que pour les grands pays, la documentation est indispensable pour les tenir au courant de l'évolution de la science et de la technique et pour leur permettre de rester concurrentiels.»

Les souverainetés nationales sont en outre remises en question par la domination évidente de l'anglais, que les Américains de plus en plus souvent comparent au latin d'un autre âge. Les programmes d'accès aux informations et la majorité de celles-ci sont en effet produits en anglais. Mais on peut toujours concevoir des programmes de traduction automatique. L'ordinateur en effet est un outil puissant qui accepte de se plier à toute volonté de programmation. Ce n'est pas tant la question linguistique qui se pose, puisqu'une technique adéquate peut la résoudre, que les risques d'espionnage industriel et de manipulation des clients.

Là se situe la question de la souveraineté, qui ne sera jamais l'enjeu d'un référendum québécois.

Pour comprendre les risques de domination par le savoir, voyons l'exemple d'un Rapport sur les années 1980 commandé par vingt gouvernements et compagnies du Canada au Centre de recherche californien de S.R.I. (1979), l'une des entreprises les plus importantes dans les domaines scientifique et technique. Un sociologue de S.R.I. proposa en 1978 à vingt compagnies dont le ministère de l'Industrie et du Commerce du Québec une analyse confidentielle de la situation politique et économique accompagnée de divers scénarios de développement, les uns optimistes (le Canada restait indivis), les autres pessimistes (le Québec se séparait), en tenant compte des ressources industrielles, du bilan énergétique et des ressources naturelles connues ou espérées sur le territoire. Cette recherche permit à S.R.I. de classer dans la mémoire de ses ordinateurs des milliers de données quantifiées, gracieusement fournies par les clients canadiens. Ces derniers eurent droit en échange à des scénarios «américains» de développement économique pour lesquels ils payèrent tout en abandonnant dans les banques de données tous les renseignements industriels, politiques, démographiques, etc., fournis par leurs bons soins. Il ne s'agit pas ici d'une manœuvre d'espionnage à proprement parler. Il s'agit plutôt d'arnaque. Le véritable espionnage quotidien dans le commerce du savoir, c'est la collecte de l'information sur ceux qui utilisent l'information...

«Le réseau TYMNET assurait l'année dernière un trafic mensuel de quatre mille heures de l'Europe vers les États-Unis, dont une part importante pour la consultation.» «On évalue à trente mille interrogations (10 millions de francs) les demandes réalisées à partir du territoire français vers les U.S.A....» Et qu'en est-il du Canada? Tous nos ordinateurs sont branchés outre-frontière. Des cerveaux électroniques de l'Université du Québec à ceux des grandes banques. On y stocke tout autant nos connaissances et nos découvertes. Les distributeurs de services peuvent profiter de ce que nous y mettons, et en produisant des analyses systématiques de nos *questions* tracer un profil de nos intérêts, de nos besoins, de nos faiblesses. Nous sommes alors prêts à être envahis. Le contrat donné à la S.R.I. par exemple était une permission naïve de nous dépouiller.

Les pays du Tiers-Monde, et en particulier ceux qui cherchent à s'industrialiser, ne peuvent éviter la colonisation documentaire des U.S.A. Comment extraire leurs ressources naturelles, comment les transformer, comment les mettre en marché sans avoir recours aux informations et à leur agencement comme on les fournit aux États-Unis? Comment réussir la stratégie industrielle proposée sans les ingénieurs et techniciens américains? Comment ne pas, en somme, s'américaniser et s'insérer dans le réseau commercial des *transnationales* qui sont au cœur de l'informatique?

«Aux États-Unis les géants de l'industrie privée ont vite pris le relais de l'armée et du gouvernement pour faire de l'industrie de l'information une activité économique très profitable.» (A. Lefebvre)

De nombreux ingénieurs californiens, dans le domaine des ordinateurs, ont trente ans et sont déjà millionnaires. C'est en Californie que se prépare, se pense et s'invente notre avenir technique, scientifique et commercial, en somme le contexte culturel de notre développement. La vente des micro-ordinateurs chez Radio Shack, la prolifération de jouets programmés, les programmes domestiques annoncés sont autant de divertissements de peu d'importance, mais ils dénotent un état de fait: l'ordinateur et ses services vont transformer nos sociétés et nos politiques d'une façon encore imprévisible.

Or ces enjeux de civilisation devraient être connus et discutés par les premiers intéressés, les citoyens, car *aucun de ces systèmes ne correspond à un besoin.* Aucun de ces services n'a de racine (ils sont nés dans une Californie sans histoire autre que Disneyland), aucune des promesses de l'ordinateur ne peut être prise au pied de la lettre. Pendant que les scientifiques nous parlent d'une société interactive et d'une égalisation du savoir grâce à la décentralisation électronique, les industries concentrent aux États-Unis les banques d'information qui ne serviront qu'aux riches.

Ce n'est pas être défaitiste que de se dire inquiet de la structure du divertissement électronique mise en place par les studios californiens et qui a déjà pénétré l'imaginaire du monde entier (pour 83 % au Canada et 46 % au Québec). Ce n'est pas aller contre le progrès que de se méfier des structures de conquête des cerveaux par l'ordinateur. Avec un imaginaire colonisé et un savoir prisonnier, le peuple, la nation, la tribu ou la famille s'illusionnent en se croyant protégés par des structures politiques. Celles-ci étaient certes nécessaires pour regrouper derrière un drapeau des soldats prêts à mourir pour la patrie. Mais il n'y a plus de chars d'assaut aux frontières. En réalité l'armée américaine, en produisant de puissants programmes d'ordinateur, s'est elle-même mise en chômage. Peu importe: les officiers ingénieurs deviennent rapidement des civils de l'industrie, le dynamisme et l'hégémonie des firmes américaines leur permettent d'espérer conquérir le monde sur terre et sous les mers, comme dans l'espace sidéral où circulent déjà des collecteurs de données nourrissant leurs ordinateurs.

Le clavier, l'écran cathodique, le pigeonnier électronique ont commencé de coloniser la vie domestique. De plus en plus l'ordinateur va médiatiser les communications entre individus. Les incursions qu'il permet sur le terrain de la pensée et des relations sociales laissent prévoir, puisque le modèle est militaire, un système violent, centralisateur et répressif. L'ordinateur, par exemple, est à l'origine de la robotisation qui élimine des milliers d'emplois chaque année. Dans la société traditionnelle, le travail permettait à chacun d'assumer un rôle. La conquête de l'emploi par l'ordinateur ressemble à la mise à mort du travailleur. Nos cultures n'offrent aucun rôle dans le théâtre sociétal à ceux qu'on condamne à boire de la bière devant l'écran de télévision. Chômeur? Figurant?

L'homme et la femme bioniques, qui ont envahi les écrans de télévision du monde entier, sont les personnages des contes de fées du XXIe siècle. Les auteurs de ces contes de fées n'ont eu qu'à traverser la rue, de chez Universal Studio aux laboratoires de la NASA, pour entendre ces récits infantiles qu'ils ont par la suite mis en images. Hollywood fait la propagande audiovisuelle à l'échelle mondiale de l'univers scientifique californien...

C'est peut-être la première fois que l'avenir de l'humanité est entièrement confié à des ingénieurs. Les poètes, les prêtres et les politiques ont perdu aux mains des militaires l'orientation des destinées. C'est que l'information a quitté le domaine des langues nationales (domaine politique) pour entrer dans celui des mathématiques (domaine spéculatif). Comme si les Chinois ne se parlaient plus que par bouliers interposés!

Le modèle militaire fera en sorte que les civils auront un numéro de matricule, ici celui de l'assurance sociale, pour contrôler les allées et venues des citoyens dont l'ordinateur pourra surveiller faits et gestes. Le transfert de la technologie militaire dans la vie civile est aussi un transfert idéologique. Et la police est informatisée.

Bibliothèque, correspondant, interlocuteur, simulateur, producteur de stratégies, vérificateur, répondeur, l'ordinateur continue d'être un outil logique complexe qui pour une phrase de langage «naturel» demande quatre pages et demie de langage programmé. Sa mémoire est fragile. Il ne respire bien que dans l'atmosphère sèche et pure jadis réservée aux tuberculeux. Pour l'instant l'ordinateur est rapide mais stupide. C'est pourquoi les linguistes et les ingénieurs californiens de S.R.I. ont entrepris de le rendre intelligent. Ils voudraient qu'il nous imite, qu'il parle et pense par lui-même. Qu'il soit fait, en somme, à notre image et à notre ressemblance. C'est ainsi que nous avons, dans d'autres civilisations, produit des dieux pour nous régir.

VÉRITÉ ET MENSONGE

Dans le grand hall du *Hilton International* de Strasbourg, Sam Fuller, scénariste et réalisateur américain *(The Big Red One)* pérore, cigare en l'air, devant une jeune journaliste de *l'Express*. Quelques fauteuils de cuir plus loin Bob Woodward et Carl Bernstein, qui rendirent le *Washington Post* célèbre en révélant le cambriolage du Watergate, donnent une conférence de presse. Le prochain livre qu'ils écriront, affirment-ils, sera conçu avec beaucoup de soin, construit comme un scénario, car «la mise en scène d'un reportage est aussi importante que celle d'un film». Visiblement le vieux cinéaste et les jeunes journalistes habitent l'univers du spectacle. Ils ne s'en cachent pas: ils en tirent plaisir et argent.

Une information, pour retenir l'attention, doit se détacher du fond sonore, c'est pourquoi j'ai d'abord évoqué ces noms célèbres. Une chronique qui, comme le générique d'un film, annonce d'entrée en scène des acteurs connus, devrait mettre en appétit. Et c'est vrai que les corridors du Palais des congrès permettaient de côtoyer Leslie Caron *(Un Américain à Paris)* ou Claude Angeli *(Le Canard enchaîné)*, ou Lucien Bodard, romancier *(Monsieur le Consul)* et grand reporter, ou Volker Schlöndorff, metteur en scène (*Le Tambour, Le Faussaire)*, Wilfred Burchett, le célèbre journaliste australien, ou Michaël Cemino, l'auteur de *Deer hunter*. Et le reste. Et d'autres, venus de trente pays.

Ce Festival de la Presse et du Cinéma tenait à la fois de la fête, du cirque et du travail. Les séances ouvraient à neuf heures et se terminaient à minuit. Au premier étage les expositions: matériel électronique, photographies d'actualité, livres, albums. Dans trois salles de cinéma, simultanément, projections continuelles de films documentaires et de fiction dans lesquels le journalisme ou l'information tenaient le premier rôle. Dans un salon attenant, derrière une longue table parsemée de microphones, les communicateurs par grappes de quinze venaient affirmer leur credo devant un public silencieux. De toute manière l'on n'a pas invité les curieux à poser des questions, à la fois parce que les journalistes français sont des spécialistes du cours magistral et parce que les Américains n'entendent que l'américain.

Journalistes et cinéastes se rencontraient donc sur un même territoire puisque la presse et le cinéma sont deux façons de raconter la guerre, le fait divers, l'événement politique, les rapports de pouvoir. S'arrachant de plus en plus l'attention distraite des mêmes consommateurs d'histoires, leur confrontation ne pouvait que vider un malentendu.

De plus en plus souvent, en effet, un même sujet, s'il accroche, fait d'abord l'objet d'une nouvelle, puis d'une série de reportages, suivie d'un livre, d'un documentaire télévisé et enfin d'une adaptation cinématographique au grand écran. Cela se vit aussi bien en France *(Les Filles de Grenoble)* qu'aux U.S.A. *(Jonestown)* ou au Canada *(Les Rescapés de l'Ambassade d'Iran)*. Le reportage sollicite l'intérêt des lecteurs, le best-seller le confirme, le documentaire émoustille et donne visages, l'attente sera comblée par du théâtre filmé. Nous n'avons bien entendu rien inventé depuis les temps classiques: Shakespeare puisait ses sujets dans la chronique.

Mais cela explique en grande partie que le vedettariat soit devenu la règle d'or du nouveau journalisme, comme elle l'a toujours été dans le monde du spectacle. L'époque des humbles rédacteurs est révolue. Un correspondant de presse, s'il a du flair, du style ou, comme Woodward et Bernstein, simplement de la chance, peut vendre son travail et son nom au même prix qu'un comédien. Il est le nouvel *acteur* des médias.

Or le mariage récent entre l'information et le spectacle n'est ni heureux, ni simple, ni facile. Les partenaires se méfient les uns des autres, surtout les journalistes qui se sentent souvent lésés. Question de gros sous, bien sûr, mais aussi celui qui a découvert un sujet, qui en a patiemment fouillé tous les aspects, le plus souvent ne reconnaît pas son histoire quand il la découvre au cinéma. Il se sent manipulé, trompé. Les journalistes présents ont affirmé que le film ment. Les cinéastes ont réclamé leur liberté d'expression. Nous avons, dès les premières heures du colloque, assisté à de nombreux procès d'intention.

Que reprochaient les cinéastes aux journalistes? De ne pas savoir, même pendant la guerre, même en direct du front, même avec des cadavres chauds, toucher les gens. Le journaliste, tributaire des événements, se voyait accusé de dédramatiser la réalité. Sam Fuller ajouta: «Le journaliste arrive après l'événement, quand il est trop tard. Le cinéaste, comme Dieu le Père, arrive avant». Il aurait dû préciser que s'il arrive avant, c'est qu'il vient après réflexion.

Un exemple. Dans son film remarquable sur le Vietnam *(Deer Hunter)*, Cemino a montré des soldats jouant à la roulette russe avec des prisonniers. Les correspondants de guerre s'acharnèrent à lui prouver que ces scènes démontraient une ignorance crasse du terrain. «Jamais», affirmèrent les journalistes et photographes de guerre, «un Vietnamien du Nord n'aurait agi ainsi car les jeux de hasard et d'argent étaient formellement interdits.» Cemino répliqua en réclamant le droit à la métaphore. La guerre au Vietnam, dit-il, n'était pour les fantassins qu'une pénible et longue attente ponctuée par le hasard de morts absurdes. À défaut de pleurer pendant des heures l'attente et la mort, il avait choisi la roulette russe comme ressort dramatique pour dire l'un et l'autre. De plus il avait réalisé ce film bien après la fin de la guerre. C'était une oeuvre de réflexion.

Informer, dramatiser, c'est découper la réalité pour lui faire rendre une vérité. Or pourrait-on reconstruire *le réel* à partir d'une nouvelle? Pas plus qu'à partir d'un scénario. Le journaliste affirme ne pas «faire de cinéma», le cinéaste prétend lui aussi à l'authenticité. Mais ni l'un ni l'autre n'ont besoin de cette authenticité pour les mêmes raisons. Le journaliste, quand il affirme ne rien «inventer», veut assurer sa crédibilité. Il faut que les histoires qu'il raconte, s'il veut continuer à les raconter, soient vérifiables. Le cinéaste, pour séduire ses spectateurs, les river à l'écran, prétend parfois écrire un film «tiré d'une histoire vraie».

À Strasbourg, Sydney Lumet *(Network)* se promena pendant trois jours accompagné non pas de la vedette de son dernier long métrage *(Prince of the city)* mais plutôt de Bob Leuci, le policier new-yorkais de la brigade des stupéfiants dont il a adapté l'histoire à l'écran. Imagine-t-on un journaliste s'amenant avec une de ses sources? Woodward avec *Deep throat*, Lefebvre avec le juge de Grenoble ou Pelletier avec Taylor, l'ambassadeur du Canada, pour authentifier leurs reportages?

Les «grandes affaires», des diamants de Bokassa aux pots-de-vin arabes, les grands tirages, la renommée, les droits d'auteur, la machine à spectacle qui ne peut plus se contenter d'œuvres d'imagination et la presse électronique ont déjà transformé le journalisme d'enquête en concurrent du cinéma. Pourtant il doit bien exister une différence fondamentale entre la version journalistique d'un événement et sa représentation théâtrale. Comme l'affirma Jacques Derogy, «si le cinéma donne *des* informations ce n'est pas *de* l'information». Où donc se trouve alors la frontière entre le réel et l'imaginaire? C'est, ironiquement, Humphrey Bogart qui apporta la réponse.

Tous les matins, dans la grande salle du festival, l'on projetait quelques classiques du cinéma. Dans l'un d'eux *(Deadline U.S.A.)* le directeur d'un journal reçoit un diplômé en journalisme, premier de classe à l'université. «Que voulez-vous être», demande Bogart, «reporter ou journaliste?» «Reporter», répond le jeune homme. «Alors ça va», dit Bogart, «parce que ce journal n'a pas besoin de journalistes. Le reporter rapporte les faits. Le journaliste pense qu'il est, lui, la nouvelle. Mes lecteurs ne sont pas intéressés à vos états d'âme.»

Il se peut bien en effet que le journalisme d'auteur, quand celui qui écrit a plus d'importance que ce dont il parle, soit en train de tuer ou, à tout le moins, de transformer le monde de l'information. C'est ce journalisme d'auteur qui se rapproche le plus du cinéma, qui participe du culte de la vedette, qui rapporte le plus d'argent. C'est ce qui explique aussi que les caméras du téléjournal sont plus souvent braquées sur le reporter que sur le reportage.

Tout en admettant qu'ils font désormais partie du monde du spectacle, les journalistes auraient avantage à se préoccuper de la mise en scène de leur information plus que de leur signature. Autrement, à force de vouloir lutter contre le cinéma sur son propre terrain, les vedettes de l'information devront bientôt danser et chanter pour retenir notre attention.

CHAPITRE III

LES BONS SAUVAGES

Le lendemain personne n'est descendu dans la rue. Plusieurs, parmi ceux qui avaient voté contre le projet de souveraineté-association, étaient honteux. D'autres, qui avaient opté en sa faveur, furent en un sens soulagés. Tous savaient que ce n'était ni la vraie question, ni le bon moment de la poser. Pendant trois semaines à l'Assemblée Nationale avait eu lieu le véritable débat référendaire. Les souverainistes avaient alors gagné la joute oratoire. Ils avaient fait une fois de plus l'indépendance par le discours. Pour un pays dont la langue est la principale raison d'être, c'était somme toute logique. Mais la question posée ne parlait plus de cela. Elle demandait d'accorder au gouvernement du Québec l'avantage d'une confiance populaire avant qu'il n'entreprenne de négocier le reste. La question, du même coup, n'avait plus aucun intérêt. C'était une question de fonctionnaire sur le fonctionnement. Non plus sur l'être. Et le second référendum venait comme une garantie au consommateur. Celui-ci a préféré l'*instant*-confédération, comme il aime son café.

Pierre Trudeau demandait aux Québécois de faire un choix rationnel, en jouant avec leurs émotions. René Lévesque voulait que l'on fasse un choix passionnel, mais avec notre seule raison. Et les intellectuels de voter oui, se croyant passionnés. Les émotifs de dire non, croyant raisonner. Tous ont ainsi satisfait en ce référendum à la tradition: voulant la chèvre et le chou, et ne faire de peine à personne, nous n'aurons perdu ni le Canada, ni le Québec. Les Canadiens français, comme leur nom l'indique, ont évidemment voté moitié-moitié.

Car qu'est-ce qu'un Québécois dans cette affaire? Un Canadien français qui ne veut plus porter son nom? Un citoyen de la belle Province, même s'il habite le *West Island*? Un Portugais qui a appris le français au C.O.F.I.? Le projet québécois est un projet familial. Il n'exclut pas l'étranger, il ne lui fait aucune place particulière. Il est évident que tous les partis politiques du Québec ont un même objectif: l'épanouissement de la société. Mais chacun a sa façon de lire l'Histoire. Ce qui m'a sidéré, dans l'aventure référendaire, ç'a été d'avoir à choisir entre deux options conservatrices. Voter *oui* pour que nous protégions ce qui reste de la famille, ou voter *non* pour que la famille reste ce qu'elle est.

Les optimistes sont du côté des libéraux: malgré les glissements de population (au Canada 28,1 % en 1961 se déclaraient de langue française, 26,9 % en 1971, 25,6 % en 1976 et combien l'an prochain?), les libéraux croient toujours que la famille survivra. Ils affirment même que l'on peut être francophone hors du Québec, ce qui correspond pourtant à un suicide évident. Mais ils ne veulent pas frayer avec les immigrants, les laissant aux écoles anglaises. Sous un gouvernement libéral les Canadiens français disparaîtront peut-être, mais sans mariages mixtes. Cela plaît surtout aux catholiques intégristes, qui ont une sérieuse tradition de repli sur leur religion.

Les tenants du oui sont plus ouverts à l'étranger, mais ils s'étonnent toujours que celui-ci ne leur ressemble pas. Ils ont tellement chanté que le Québécois est beau qu'ils ont oublié de le regarder. Les immigrants ne s'installent pas, pour la plupart, à Outremont en arrivant. Leurs premiers indigènes ne sont pas tous cultivés, raffinés et gentils. La majorité de ces indigènes parle un français plutôt régional. L'immigrant ne tombe pas en amour du coup avec notre culture. Du *hot-dog stimé* à Gaston Miron il y a un pont qu'il n'a souvent pas le temps de franchir avant de devenir, en bonne partie grâce à la télévision, un Américain.

Libéraux et péquistes regardent l'avenir dans le rétroviseur. Les uns et les autres se réclament de la Révolution tranquille. Les péquistes sont les pessimistes. Ils appréhendent une catastrophe, un génocide, une lente agonie. C'est pourquoi la vaste majorité des artistes, qui pratiquent le drame comme d'autres le squash, ont produit et adhéré à ce récit. De même les écrivains qui s'imaginent que la politique, comme les romans, a un début, un milieu, une fin. Or en politique il n'y a jamais rien de définitif. Après une élection, c'est même inscrit dans la constitution, vient inexorablement une autre élection. La politique est une spirale.

Claude Ryan est autant de la famille que Robert Bourassa, Jacques Parizeau ou Jean-Luc Pépin. La famille canadienne-française survit par consensus. Celui des années soixante-dix, où les plus brillants se retrouvaient au P.Q., est terminé. Les intérêts des membres de la famille se sont diversifiés. On peut même se demander s'il y a encore — comme en 1960 — l'idée de famille.

En mai 1980, à l'époque du jogging, du chacun pour soi, des associations de consommateurs, de femmes, d'écologistes, de garderies, de gauchistes, d'anarchistes, d'étudiants, d'homosexuels, de cyclistes, d'anti-nucléaires et j'en passe, dont les organisations syndicales, il n'y avait plus cette unanimité dont le P.Q. aurait eu tant besoin. C'est pourquoi on a réinventé les «regroupements», c'est-à-dire des ensembles aussi disparates que ceux des perrons d'église après la messe. La société québécoise était disloquée, même les centrales syndicales boudaient, le Parti Québécois se mit à considérer toute table de taverne comme une communauté. Nous fûmes, doit-on le dire, pitoyables. Les discours des libéraux étaient pitoyables. La déroute des péquistes tout autant. C'était, en réalité, le spectacle d'un peuple qui ne voulait rien décider. Seul René Lévesque y mit tout son cœur, parce que c'est un homme généreux; il se retrouva de plus en plus seul.

Le référendum a permis de toucher du doigt le véritable comportement politique du Canadien français. *C'est un comportement qui refuse toute initiative.* Le Canadien français accepte de se battre, mais seulement, comme l'a démontré la lutte des gens de l'air, s'il est provoqué. Et même là il fait le bon Huron, il tend d'abord l'autre joue. À Cacouna, dans le Bas-Saint-Laurent, les libéraux fédéraux promettent à chaque élection un port en haute mer. Les citoyens votent pour le port. Puis ils oublient. Ils ne sont pas méchants. Ça dure depuis 20 ans. Depuis 100 ans. Depuis 200 ans peut-être. Nous avons eu comme modèle les Indiens. Ils nous ont permis de survivre à l'hiver, qu'ils connaissaient mieux que nous. Nous avons acquis à leur commerce le goût du campement, du transitoire, de la patience, de l'entêtement, et le respect des Chefs anglais. Les Indiens ont voté *non* au référendum. On ne pouvait faire autrement. Notre société est douce, elle n'aime pas la bataille, les cris, les belligérants. Notre «Révolution» fut tranquille, notre «indépendance» le sera aussi. Mais nous deviendrons indépendants quand plus personne ne voudra de nous. D'ici là nous ne quitterons pas la Confédération, pour ne pas faire de mal à qui que ce soit. Mon Dieu! Est-ce vraiment un comportement si méprisable? Nous sommes pacifiques, et nous aimons le discours. Aucun peuple n'a aussi peu souffert de répression politique que le nôtre. Il a suffi des événements d'octobre, métaphores à côté de ce qui se vit en Amérique latine ou en Asie, pour que la crainte s'installe. Nous ne voulons pas de violence. Nous sommes même prêts à disparaître comme peuple pour défendre la douceur.

Les intellectuels qui ont jugé le peuple demeuré parce qu'il avait voté non sont ceux qui ont appris l'histoire dans les livres européens. J'ai déjà écrit que les Canadiens français ne voulaient pas d'histoires. Nous avons tenté de lui en raconter. Force nous est de reconnaître aujourd'hui qu'il a choisi l'intemporel. C'est un peuple qui vit déjà dans l'éternité, et dont l'aventure historique est métaphysique. Il accepte que l'on défigure ses villages, de son passé il ne conserve rien, sinon ses chansons et son âme. Après quatre cents ans d'Église il est peut-être en effet trop tard pour revenir sur terre. Le paradis sur terre c'est Old Orchard, Miami, Acapulco. Le parti politique qui promettra Disneyland sera élu sans compromis. Car le Canadien français, en attendant cet essentiel qu'est le ciel, veut vivre en Amérique. Les intellectuels tirent du côté de l'Europe. C'est méritoire.

En réalité nos idées viennent de France, mais nos mythes, nos fictions, nos cartes de crédit, notre confort, viennent des États-Unis. Au référendum c'est de cela qu'il s'agissait. Ceux qui ont voté avec leur tête ont choisi de dire *oui*. Ceux qui ont voté avec leur corps ont dit *non*. S'il est une leçon à tirer de tout cela, pour nous intellectuels, c'est qu'il faudra désormais proposer une nouvelle théorie et de nouveaux récits, dans lesquels désormais la tête et le corps seront réunis.

PLACE CLICHÉ

Ma mère se nommait Hollywood. Mon père Saint-Germain-des-Prés. Les émotions fortes, le faste, l'aventure, l'exotisme, l'argent, la mort venaient de haute Californie. L'intelligence critique, l'ironie, la vivacité, l'art, la poésie, la gloire, la vie, habitaient Paris. C'est du moins ainsi qu'à seize ans m'apparaissait le Monde, en 1950, depuis la Côte-des-Neiges.

À l'ombre d'un Oratoire qui se voulait une copie du Sacré-Coeur, l'on trouvait en haut de la Côte une modeste librairie française* et tout en bas un cinéma de quartier, le *Van Horne,* qui offrait des films américains en programme double. Je ne me demandais pas alors si ma culture, ma façon de manger, de m'habiller, si nos structures familiales et sociales, si les objets que nous consommions, si d'acheter dans les épiceries de Sam Steinberg, nous transformaient en Français ou en Américains. Nous étions, cela pétait d'évidence, des Canadiens français, chantant Botrel et dansant sur des musiques de Glen Miller. Ah! le slow!

Nous étions des Canadiens en toute géographie. Français puisque c'était notre langue. Catholiques aussi: le Centre du Monde se trouvait à Rome où le Saint-Siège assurait notre gouvernement. Le Christ notre monarque. Le pape son premier ministre. Un

* Il s'agit de la librairie *Au bon livre,* propriété d'André Dagenais.

grand médium de masse (de messe), la Religion, envahissait tous les autres médias pour s'en faire des amplificateurs de son.

Pourtant il existait deux domaines de l'esprit que l'Église de Rome ne contrôlait pas tout à fait, ne pouvant que leur imposer une censure qui les rendait plus alléchants encore: le livre, l'écran.

C'est grâce à la littérature et au cinéma que j'ai pu vivre, respirer, nourrir mon imagination, meubler mon imaginaire, décentrer le monde catholique unanimiste, découvrir des valeurs humaines qui ne poussaient pas dans nos potagers.

À l'écran, des héros qui n'étaient pas des saints mouraient pour d'autres hommes dans des déserts jaunes parsemés de cactus. Les films de guerre nous laissaient entrevoir le bruit et la fureur, le son lointain du canon que nous n'aurions jamais autrement entendu tonner. La passion et l'amour s'étalaient en dimensions surhumaines dans des salles obscures fleurant bon le pop-corn salé. Frissons sur mesure.

J'ai appris l'anglais au cinéma, j'y ai découvert des paysages étrangers et somptueux, j'ai accompagné Bob Hope, Hedy Lamar et Bing Crosby sur toutes les *routes*, j'ai assisté Humphrey Bogart dans ses moments difficiles, de Casablanca à Los Angeles. Mes premières images de Paris me furent même présentées par Gene Kelly sous la pluie. Plus tard il y aurait Jean Gabin, Bourvil, Fernandel, Morgan, Jouvet. Mais beaucoup trop tard.

En découvrant, à la même époque, en haut de la Côte-des-Neiges, les livres de Sartre, Prévert, Camus, Éluard; en étudiant, en classe de Belles-Lettres, l'histoire de la littérature de Monsieur Calvet; en mémorisant des morceaux choisis; en dévorant Baudelaire, Verlaine et Rimbaud; en avalant dans le désordre des œuvres mineures, tout en me laissant happer par *la*

Condition humaine, je me mis à concevoir une France mythique qui se relevait avec courage de la guerre. Cette France se délectait dans l'existentialisme dont la lucidité et le jazz me semblaient les plus profondes vertus. J'avais seize ans.

Je ne connaissais de Paris, à cet âge, que quelques clichés dans la presse: l'Arc de Triomphe, de Gaulle descendant les Champs-Élysées, la tour Eiffel, un gendarme peut-être. J'imaginais, à partir des textes, une France qui n'avait jamais existé. Il le fallait bien! Tous ces romans que je dévorais, tous ces mots dont je ne saisissais le sens que dans les dictionnaires! On me racontait le bruit des pas sur le pavé, le verre de blanc au café, accoudé au zinc! Au ZINC! Vraiment. Et cette campagne, celle de Clochemerle, celle de Giono, les villages de Ramuz... car à distance la Suisse et la France se confondaient dans des décors vaporeux. Je procédais par collage, je découpais dans les paysages d'ici des objets familiers que je situais au hasard dans une fresque imaginaire et chaude. Je remplissais les vides, je bouchais des trous avec une pâte de papier et d'encre.

Je ne connaissais pas plus d'écrivains canadiens-français que de cinéastes indigènes. Pour moi les écrivains étaient tous, par définition, Français. Les idées étaient toutes françaises. Mais les acteurs, les industriels, les millionnaires, les héros, les hommes politiques et les femmes perverses étaient tous Américains. Toute technique était américaine.

Quand je rencontrai le cinéma français il était déjà tard: celui-ci ne serait jamais autre chose qu'un «arrière-plan» devant lequel évoluerait la vie intellectuelle française. La vie littéraire. Ah ils en avaient de la chance les écrivains français! Moi j'étais seul. Mais eux se connaissaient tous, se fréquentaient en vacances, habitaient le même quartier, publiaient chez les mêmes éditeurs, mangeaient dans les mêmes bistrots. *Bis-*

trots?! Je ne pouvais m'offrir, solitaire, que le **Modern Tea Room**, un restaurant de la Côte tenu par un Grec et dont le menu ambitieux comme un horaire de chemin de fer ne proposait que des désastres gastronomiques. Dans une tasse de porcelaine trop épaisse, sur la table d'*arborite* bleu, flottaient les taches grasses d'un café noyé de lait. Devant un sandwich *western* (œufs brouillés et oignons frits), je lisais avec sérieux le récit de la vie de Roquentin. Quelle distance, mes aïeux!

Je me suis constitué une France de papier et j'ai parcouru le monde sur celluloïd. Si, comme l'affirme Sartre, «on pense comme on est structuré, on agit comme l'on est organisé», je crois avoir été structuré à la française et organisé à l'américaine. C'est sans doute pourquoi, lors de mon premier voyage en France, à vingt ans, puis à chaque séjour subséquent, j'aurai toujours beaucoup de difficultés à admettre la hiérarchisation et les canaux de communication français. Mais jamais la pensée, que ce soit celle de Camus, de Lévi-Strauss ou de Foucault, ne me paraîtra *étrangère*. La France est mon lieu privilégié de discussion, de dissertation, de réflexion, d'amitié. Je pense le monde en français.

Par ailleurs les écrivains américains m'apparaîtront toujours comme l'arrière-plan (le background) du cinéma d'Hollywood. En France les écrivains précèdent le spectacle. Ici ils sont à son service. Tous couchés dans la roulotte de Marilyn Monroe.

Et aujourd'hui qu'y a-t-il de changé? Il n'y a plus de Canadiens français. Il existe maintenant des Québécois francophones. Le territoire a rapetissé, mais à seize ans un enfant est désormais conscient de ses origines. Pourtant ses images sont toujours produites à Hollywood, puisque la télévision a pris la relève des cinémas de quartier. Les idées viennent-elles toujours de France?

On en peut juger par les revues peut-être. En 1960, *Liberté* puis *Parti pris* puisaient leur inspiration à Paris. Les «révolutionnaires» citaient Jacques Berque, Albert Memmi, Frantz Fanon. En 1980, *le Temps fou* s'inspire autant sinon plus de la Californie et des auteurs américains que des idées européennes. D'ailleurs Pierre Maheu a été publié, en texte posthume, par *le Temps fou.* Paul Chamberland ne s'y sentirait pas mal à l'aise. La relève s'américanise. Les jeunes Français tout autant.

Nos systèmes symboliques sont aujourd'hui plus américains qu'ils ne l'étaient quand j'avais seize ans. Nos règles matrimoniales, économiques, notre art et notre religion ont des couleurs made in USA. Il nous reste un seul système qui nous relie encore exclusivement à la France: la langue. C'est pourquoi ceux qui l'attaquent, dont Léandre Bergeron, travaillent objectivement pour la Gendarmerie royale du Canada. Mais cela est une autre histoire.

Il semble donc, à l'évidence, que je n'ai rien à dire *sur* la France. Je suis un écrivain québécois de langue française. En traduction mes phrases font du mauvais «américain». À Paris elles sont d'un étrange français. Mais enfin, préparer la société, par l'écriture ou le cinéma, aux changements nécessaires consiste justement à trouver le mot juste (la métaphore parfois) pour dire en français ce qu'est un Américain. Les livres américains seront toujours traduits de l'américain. Nous pouvons, nous, *écrire l'américain directement en français!*

Cela exige une connaissance étendue de toute la gamme française, des odeurs de Paris et de la Provence, cela demande une perception aiguë de tous les sons américains, ceux des fusées de la Nasa ou des publicités de Madison Avenue, cela requiert d'en savoir toujours autant (et parfois plus) sur les Autres que sur soi. Cause profonde de la grande fatigue culturelle canadienne-française?

Est-ce que notre rapport au Monde a changé? Il y a toujours, en haut de la Côte-des-Neiges, une librairie française, et un peu plus bas le cinéma *Van Horne* qui présente des films américains. D'un côté les idées, de l'autre l'action. Je sens profondément que nous en sommes toujours au même point, c'est-à-dire écartelés entre la littérature et le cinéma. La preuve? Un *écrivain* socialiste est aujourd'hui Président de la France, cependant qu'un *acteur* dirige le gouvernement des États-Unis. J'aurais pu le prédire quand j'avais seize ans. Les clichés ont du bon.

L'ORGIE

L'orgie a duré vingt ans. Sans reprendre souffle la Province, de provinciale, paroissiale et rurale, est devenue un État confédéré urbain laïque. Il y eut orgasme après orgasme: transfert de sens, transfert de responsabilités, le clergé qui taxait la population depuis deux cents ans pour se construire des églises, des presbytères, des hôpitaux, des écoles, des collèges, des institutions de charité, des maisons de retraite, des universités à Montréal et à Québec remit l'une après l'autre ses dettes et ses responsabilités à l'État au moment même où des milliers d'enfants arrivaient sur le marché du savoir. Une orgie. Il fallait bien trouver une source d'énergie sociale, un moteur, une émotion qui permettrait l'échange en douceur.

Nous n'étions pas en guerre, comment alors réunir tous les citoyens et les impulser vers la victoire? Nous serions en amour: *French Canadian is beautiful!* Le nationalisme, sous toutes ses formes, libérale, riniste, d'union nationale ou péquiste, allait nous secouer le canadien. Nous avons refait le système d'éducation, changé les approches de la justice, réécrit le code civil, assuré la gratuité scolaire et médicale, consommé des slogans, appris à manger, reçu le monde en visite, inventé de toutes pièces une littérature, un cinéma, une musique, des chansons, un théâtre, nous nous sommes donné des moyens d'information, nous avons appris à parler, à entendre, nous avons ajusté nos montres à l'heure de Paris, New York et Los Angeles. Une orgie. Mais qui peut vivre sur trois fuseaux horaires *simultanément?* Nous l'avons tenté.

Et tout ce temps où nous avons travaillé dans le concret, bâtissant des barrages et des métros, des caisses d'économie et des industries, une fonction publique et des stades, nous avons aussi œuvré dans le domaine symbolique, par cocktails Molotov, cellules terroristes, manifestations douces, affrontements avec la police, combats idéologiques; nous avons lu et digéré et répandu et rejeté tout ce qui se lisait depuis cent ans dans le monde révolutionnaire. Nous sommes passés de Charles Maurras à Karl Marx à Toffler. En vingt ans. Une orgie. Nous eûmes nos Bakounine, nos Lénine, nos Staline, nos Sartre, nos Debray, nos castristes, nos séparatistes, nos fédéralistes, nos syndicalistes, nos maoïstes, nos féministes.

Alors il y en a qui s'étonnent que le lit soit défait et les amants moroses? Ils reprennent leur souffle, les Québécois, ils ont peint en vert les campagnes, en français les affiches, se sont fait dire vingt fois qu'ils étaient débiles et vingt fois sont retournés à l'école, ils ont découvert l'écologie, l'assurance-automobile, le prix du pétrole, l'éducation des adultes, le placement des vieillards, la pornographie, le racisme dans le taxi et l'ordinateur dans les écoles, en plus de s'inventer des CLSC, des CSST, des UQ, des SODIQ, des CSF, des CECO, et j'en passe...

Alors, quand on vient me demander si je crois toujours à l'indépendance, je me permets de rire un peu. Car il faudrait savoir si la souveraineté du peuple québécois, selon la formule de l'indépendance politique, est le plancher ou le plafond de notre édifice social, national et économique. Seul Pierre-Marc Johnson a publiquement osé, à ce jour, poser cette question fondamentale: est-ce que «l'indépendance» est l'aboutissement d'un processus politique de maturation d'un peuple, ou est-ce la crise de puberté qui permettra demain à l'adulte de s'assumer?

Pour ma part, je vois l'autonomie comme un objectif à atteindre, cherchant tout au long du parcours à équilibrer les libertés individuelles, les droits de la personne et les devoirs sociaux. En vingt ans déjà ce petit pays de six millions d'habitants a parcouru un sacré bout de chemin. Il commence même d'être envahi, comme le reste de l'Occident, par des citoyens du Tiers-Monde qui ne sont pas parmi les plus bêtes puisqu'ils choisissent de quitter leur misère afin de profiter rapidement de notre relative prospérité.

Quitte à me répéter, je considère le consumérisme, c'est-à-dire la percée des transnationales dans notre vie privée, émotive, symbolique, comme le plus grand danger sur le chemin de la maturité. Aux enfants de 1950, l'on proposait Dieu, Famille, Patrie. C'était la nourriture même du discours duplessiste. Aux enfants de 1980 l'on offre désormais: État, Solitude et Marchandise. L'*État* n'est plus que le système de contrôle des échanges marchands, soumis aux pressions des grands groupes concurrents que sont les affaires et leur miroir les syndicats. La *solitude,* par contre, est la situation de plus en plus courante des nouveaux consommateurs, solitude des femmes vieilles et pauvres, solitude des femmes monoparentales, solitude des jeunes adultes riches, solitude des enfants dont les parents sont occupés à gagner chacun un salaire, solitude des joggeurs de fond, le Walkman sur les oreilles, tous soumis au marketing intensif des *marchandises* dont l'économie contemporaine, pour simplement rouler, a le plus grand besoin. Face à son écran cathodique, les doigts sur le clavier, le consommateur idéal se programme comme prévu dans les logiciels. Une vie de puce a remplacé la vie de chien.

Tout avait commencé, il me semble, par une quête d'identité: qui étions-nous, citoyens canadiens, sujets britanniques, catholiques de naissance, francophones d'expression maternelle, isolés au bout de l'Amérique glaciale? Comment pouvions-nous devenir maîtres «chez nous»? Les Français un jour sauraient-ils nous écouter, ou même nous entendre? Les Américains viendraient-ils nous visiter? Pourrions-nous avoir un *siège* aux Nations-Unies? N'étions-nous pas une nation?

Au bout de cette quête d'identité, force nous est de constater que nous nous sommes coulés, de plus en plus, dans les grands moules du marketing. Les Québécois ne forment pas tant aujourd'hui un peuple que des strates dans les grands cahiers des publicitaires. La complicité des non-fumeurs, dans les restaurants, a remplacé celle des militants qui réclamaient des menus en français chez Murray's, il y a vingt ans. Tous les groupes qui revendiquent des droits, les paraplégiques et les chômeurs, les enfants battus et les femmes au travail, nonobstant la légitimité de leurs réclamations, n'ont fait, comme l'écrivait récemment Christopher Lasch, qu'ajouter à l'inflation des idées. Or si l'inflation dévalue l'argent, elle dévalue aussi la parole démocratique.

Le jour où j'ai entendu, lors d'une Rencontre des écrivains, «l'écrivaine» Nicole Brossard affirmer que «le sort fait aux femmes ici est pire encore que celui fait aux Juifs à Auschwitz», j'ai compris comme les mots et les réalités n'avaient plus qu'un sens publicitaire. Un an plus tard René Lévesque était traité, par un syndicat, de «boucher de New-Carlisle», et Mordecai Richler comparait le P.Q. au nazisme, etc. «*The language of radical protest loses its critical content when appro-*

priated by such groups», écrit C. Lasch qui ajoute: «*Since interest-group politics invites competitive claims to the privileged status of victimization, the rhetoric of moral outrage becomes routine, loses its edge, and contributes to the general debasement of political speech.*»

Nous sommes entrés, avec toute l'Amérique, dans l'univers de Disneyworld où les spectateurs ont l'illusion de la liberté, passant d'un pavillon à l'autre. Est-ce que la variété des marchandises à l'étalage remplace adéquatement la diversité des expressions politiques? C'est cette illusion d'optique, à mon avis, qui occulte le débat de l'indépendance. De toute manière, quand on songe à l'acquis, à la sécurité matérielle et psychologique conquise depuis vingt ans (alors que plus personne ne peut sérieusement invoquer la Louisiane comme avenir), l'on peut se poser, à propos de la souveraineté, la question de Jean-Marie Domenach à propos du programme socialiste français: «Comment faire en sorte que les citoyens veuillent ce qu'ils possèdent déjà?» Nous sommes passés de la Révolution tranquille à l'autonomie sereine. Bien sûr il manque le plafond, l'indépendance, mais il manque aussi un toit au stade. Peut-on se le payer, le grand mât tiendra-t-il?

Nous avons vécu, à ce jour, une orgie de changements qui ne semble pas vouloir prendre fin. À bout de souffle le Québec? Que dire des nouvelles structures dans l'enseignement, des transformations industrielles, de la refonte du système électoral, de la conquête des marchés extérieurs (même la pègre québécoise s'est appropriée un coin de la Floride)? Or, dit-on, la gent intellectuelle serait morose! Morose? *Post coitum triste*? Allons donc! Après l'amour, disait une dame d'expérience, l'homme n'est pas triste, il est pressé. Le Québec aussi est pressé, mais il ne sait plus très bien où il va. En fait la seule fois où, depuis 1976, ce pays a vécu un intense moment de solidarité, de communion, de créativité, de parole libre, d'imagination débridée, d'espoir et de plaisir, fut cette semaine de janvier 1984 où la loterie (québécoise) offrit 13 millions de dollars au gagnant. Et le plus extraordinaire fut que René Lévesque, premier ministre, acheta lui aussi des cartes de la 6/49! Et s'il avait gagné?! Aurait-il déclaré l'indépendance?

Nous vivons dans un pays surréaliste. À la radio, cependant que je termine cet article, on annonce un festival *western* au bar «Le Galop» mettant en vedette Roger Brunelle, chanteur *tyrolien*. Nous avons entrepris et réussi l'insertion du pays québécois dans la fiction, c'est-à-dire dans les *possibles*. Nous n'avons pas qu'un avenir documentaire, c'est déjà beaucoup plus qu'en 1960. Je ne sais pas si l'orgie est terminée, si la fébrilité va céder la place à la volupté, si la douceur du nouvel âge va teinter les conquêtes de la nouvelle technologie, si nous continuerons de vivre avec trois montres au poignet, si nous allons vers la tendresse partagée ou «la masturbation soft-taoïste», suivant le mot d'Attali. Mais je sais que je ne veux plus que l'on me demande si je suis «toujours en faveur de l'indépendance»! C'est une question à ne jamais poser pendant une orgie.

LE BÉBÉBOUME

En ce temps-là, je vous le dis, tous les jeunes adultes se mariaient à l'église et toutes les jeunes femmes accouchaient d'au moins deux enfants (virgule quelque chose) dans les mois qui suivaient. Ce n'est donc pas parce que nous étions nombreux, au contraire, que nos enfants se transformèrent en génération du déferlement, ou parce que la guerre était remise à plus tard, mais parce que tous les couples que nous formions à cette époque convolaient automatiquement en justes noces et accomplissaient sans pilule leur devoir conjugal.

J'avais 20 ans, en 1954, quand je me suis marié. Ma femme a donné naissance à deux (magnifiques) enfants, un garçon et une fille, respectivement situés au milieu et à la queue du bébéboume québécois. Qu'est-ce donc, à part le nombre, qui caractérise ces enfants nés entre 1946 et 1962, et qui forment aujourd'hui les sous-groupes granolas, écolos, féministes, joggeurs, naturistes, et le reste, auxquels ils se doivent d'appartenir? Qu'est-ce donc, à part le nombre, qui les définit? La tête du peloton a connu la télévision avant d'avoir dix ans, les autres la découvriront avant la maternelle et les petits derniers furent nourris au biberon électronique. En réalité je ne vois que la *télévision*, c'est-à-dire le murmure marchand, pour réunir (*religere*) cette génération à travers le temps, l'espace, les classes sociales et les idéologies. Tout le reste, me semble-t-il, en découle:

elle était le message, la morale, la définition nouvelle des structures, la poésie, la contestation, l'exotisme, le savoir, la fable, l'information, le voyage, le récit, la force centrifuge, le rêve, la force centripète, le modèle. Ils auront été des enfants de la télévision comme ceux des années 80 seront les enfants de l'ordinateur et des jeux électroniques alors que nous étions des enfants de chœur. Il y a toujours, de quinze ans en quinze ans, un liant majeur (crise économique, guerre) et une musique qui structurent les comportements d'une génération.

Le bébéboume (P.Q.) ressemble donc à un spot publicitaire : c'est une génération qui saute d'une mode à l'autre, qui recherche en tout le plaisir instantané, qui achète en masse chacun pour soi, qui n'en finit plus de parler comme dans un téléroman, qui a des sincérités de feuilleton, qui n'a jamais senti le besoin de durer ou même parfois de se reproduire, parce qu'elle a appris l'essentiel non plus lors des messes dominicales mais par bribes de spectacles fugitifs. Elle est en représentation discontinue.

Les enfants du tube cathodique sont plus instruits que leurs parents, plus riches d'une richesse qu'ils n'ont pas créée, mais ce n'est pas l'essentiel : ils furent surtout ceux qui renversèrent le cours du fleuve. Ce n'est pas le nombre qui explique que les parents se sont mis à l'écoute de leurs enfants, ce n'est pas le pouvoir d'achat des adolescents fervents des Beatles qui bouleversa les rapports de société, c'est, plus simplement, que la guerre de 1939-45 accoucha d'une nouvelle civilisation que nous commençons à peine à reconnaître. Dans leurs caves, à Saint-Germain-des-Prés, Simone et Jean-Paul ne disaient pas l'avenir, Juliette ne chantait pas la vie moderne, ils étaient sans le savoir à rédiger le *lamento* d'une époque révolue. Ils n'annonçaient rien, ils signaient des faire-part.

Ce qui est essentiel, pour une génération, c'est la vie symbolique. Celle du bébéboume a été pensée *artificiellement* dans les officines des agences de publicité. Des artistes peintres, des écrivains, des comédiens, des musiciens y concevaient, au nom du Prince de la civilisation marchande, les symboles culturels qu'allait transmettre le souffleur électronique du nouveau théâtre social.

En 1958, à Montréal, j'ai participé à la rédaction des textes publicitaires d'une grande agence (McLaren Advertising Agency). Rien de ce que nous faisions n'était innocent. Nous vendions du style, des mots, des analogies, des images mentales. Le «vendeur Esso de votre voisinage» ne s'associait pas au hockey pour débiter de l'essence, mais pour créer une famille où le pompiste, Jean Béliveau et ses coéquipiers, l'annonceur et la musique (militaire) allaient coopter le téléspectateur. Aujourd'hui les publicitaires qui vendent par exemple de la bière avouent que la génération du bébéboume leur crée des ennuis: elle a tant mordu aux styles qu'elle s'en est fait une panoplie. Les voilà forcés de concevoir des campagnes de publicité pour les 25-35 ans qui roulent en Corvette, une autre pour les durs du monde en bicyclette, ou pour les fans de Diane Dufresne, ou pour les intellectuels (barbus) socialistes mais aussi pour les gais (moustachus) qui forment le sous-groupe le plus intéressant au plan de la consommation.

D'ailleurs les enfants de la télévision sont devenus d'abord et avant tout des *consommateurs*. J'appartiens, je crois, à la dernière génération des *citoyens* qui croyaient que les institutions assuraient la pérennité des sociétés. Une société de consommateurs ne discute pas des institutions, ne se passionne pas de politique, elle ramène tout à son corps (sa forme), à son esprit (ses flashes) et, ultimement, à l'écran cathodique de son ordinateur domestique. Elle réclame des croissants et des jeux.

Évidemment les *jeunes femmes* du bébéboume, qui ont cru au discours marchand comme leurs cospectateurs mâles, se sont retrouvées nombreuses en «Bobinettes» déconfites. Le paradis électronique, la vie symbolique ne changent pas les réalités économiques et psychologiques. Partager la haine de la guerre, vivre le Vietnam par écran interposé, chanter la paix et l'amour, danser dans tous les pavillons de la terre réunis pour l'Exposition universelle, fréquenter les mêmes écoles, accéder aux mêmes universités, partager les mêmes goûts, les mêmes vêtements, les mêmes voyages, les mêmes ambitions, tout cela prépare les filles à vouloir mener, en fait, une vie de garçon. Mais pour mener une vie de garçon, il faut être *stérile*. La Guerre avait accouché d'une nouvelle civilisation, certes pas d'un nouveau «genre» humain.

La génération du bébéboume est une génération d'artistes, d'autres diront d'adolescents: dans une entrevue radiophonique conjointe, Léo Ferré, Brassens et Brel avouaient qu'ils n'étaient pas des adultes, mais des «artistes». L'adulte, disaient-ils, c'est celui qui a fait son service militaire, s'est marié, a eu des enfants, les a nourris et élevés avec «bobonne» à la maison. C'était l'adulte de ma génération. Peut-être que le citoyen devait, par définition, devenir cet adulte. Le consommateur, lui, préoccupé de la qualité de la vie, c'est-à-dire des marchandises, doit réagir sur demande à la symbolique publicitaire, saliver en musique. C'est autre chose... Il est libre et seul, sans attaches.

Les féministes du bébéboume ont fait un travail théorique remarquable, utilisant les schèmes marxistes pour dénoncer l'exploitation éhontée des femmes dans tous les domaines de la vie affective et économique. Puis elles sont devenues, comme cela était inévitable, un groupe de consommatrices (des formes féministes) parmi les douzaines de sous-groupes du marché. Les plus radicales n'ont pas même envie de partager leur territoire avec l'autre *genre*. Elles ont décrété que *tous* les hommes étaient des *violeurs*. Elles ont remplacé la parade du Père Noël par la parade de la nuit qui «leur appartient». Elles se consomment elles-mêmes. Les laissées-pour-compte du féminisme de marché, ce sont les jeunes mères (monoparentales) exploitées du monde merveilleux des consommateurs, abandonnées par de jeunes pères qui ne veulent pas être des «chefs» de famille (il n'y a plus de chef) et qui s'enfoncent dans la vie «d'artiste» irresponsable, c'est-à-dire qui refusent les responsabilités. De toute manière la pérennité n'est plus une valeur. La solitude, Walkman sur les oreilles, permet de devenir soi-même un instrument électronique, et des hommes dont la voiture parle dès qu'ils y enfoncent la clef de contact ont-ils vraiment besoin d'un enfant braillard et imprévisible?

Les intellectuels du bébéboume ont donc devant eux une tâche immense et exaltante: réconcilier les genres masculin et féminin, c'est-à-dire accepter respectueusement leurs différences réciproques et donner, simultanément, *un sens* à la nouvelle civilisation marchande. Pour ce faire il faudra peut-être poser comme axiome que le monde ne disparaît pas quand l'écran s'éteint, pas plus que ne disparaît l'homme quand on sait que Dieu est mort.

CHAPITRE IV

VIENT DE PARAÎTRE

Sur la table vernissée d'une petite salle grise, en retrait du monde, au détour d'un long corridor, sans fenêtre, sans arrière-cour, soixante exemplaires de votre roman vous contemplent, empilés comme boîtes de cigares. L'odeur d'encre fraîche et la poussière de papier se mêlent aux relents de tabac refroidi qui émanent de la moquette élimée. Vous êtes prévenu : dans ce cagibi ont défilé des Célébrités de la littérature, et bien sûr des auteurs qui n'ont existé que le temps de quelques sueurs froides...

«Vous me faites les dédicaces tout de suite», vous a demandé le Directeur du Service de Presse, «il faut que tout soit emballé avant onze heures!» Puis il s'est retiré en refermant derrière lui la porte de contreplaqué. Il y a des taches de doigts autour de la poignée de nickel. Personne ici ne fait le ménage. Je me sens petit. Dans ce métier on ne se compare jamais aux plus médiocres, ils sont trop nombreux. Le modèle est bien haut accroché, comme un crucifix. «En respectueux hommage!» «Avec l'expression de ma sincère admiration...» «Avec mon bon souvenir...» «Pour celui qui m'a fait tant comprendre de...» «Aux aînés que j'admire...» «Au plaisir de vous rencontrer...» suppliques! Ayez pitié de nous, ô Vierge Marie, critiques qui pouvez faire ou défaire un public. J'ai perdu mon innocence. Hier écrivain, aujourd'hui marchand de dédicaces! Hommages! De l'Auteur!

Ces gens recevront votre petit paquet, avec sa signature, et s'ils le déballent il ira s'ajouter à des imprimés semblables. Et dire que vous ne connaissez par les trois quarts des noms sur cette liste de presse! Comment les connaîtriez-vous? Ils changent de chaise en musique. C'est le grand bal masqué de la République des Lettres. Les chroniqueurs accèdent à des tribunes. Hier animateurs d'émissions radiophoniques, aujourd'hui directeurs de collections. Celui-ci est éditeur et membre de quatre jurys. Et parmi eux il y a les pontes de la télévision. Ah! Trouver le mot juste pour attirer leur attention! Deux minutes à l'écran et c'est le succès, dit-on!

Or je veux croire que dans mon livre dorment des milliers de mots *justes*. Écrire est une activité divine voyez-vous, projet magique, œuvre de chair, mais il faut attirer l'attention des dieux électroniques justement, par qui tout arrive. Aborder l'écriture avec innocence, se retrouver devant cette tâche ridicule: la dédicace. Hier les salons, aujourd'hui les studios.

«En espérant que cette histoire retienne votre attention, très sincèrement et le reste...» Cela se joue maintenant. Ces milliers d'heures à gratter le papier, ce petit bruit irrégulier du stylo sur la ligne bleue, comme une preuve de vie, ces signes abstraits qui prétendent rendre compte de la passion!

Vous en avez à peine terminé vingt exemplaires que le Directeur repasse la tête par la porte qui bâille: «Alors ça avance? Vous voulez un café?» «Soyons sérieux», vous entendez-vous répondre, «ai-je écrit un livre pour me retrouver à l'usine? La signature en série. J'aurais dû m'acheter un tampon! Est-ce un rite? Ne peut-on faire autre chose?» «Mon cher», dit-il en se moquant, «ou vous acceptez de jouer le jeu jusqu'au bout, ou vous ne vous approchez même pas d'une maison d'édition...! Bien sûr si votre livre est génial,

nous le publierons en insistant sur l'anonymat de son auteur... Mais aussi il peut tomber dans le grand silence où s'entassent des milliers de titres chaque saison. Alors? Vous devez le porter à bout de bras, non content de l'avoir vécu, écrit, senti, produit, vous devez le brandir comme une bouée en espérant que d'autres s'y accrocheront. Vous êtes des centaines d'auteurs à vous avancer en rangs serrés, portant chacun une œuvre au-dessus de votre tête, la mer s'est retirée pour vous livrer passage, puis soudain elle se referme avec une force féroce, et seuls quelques-uns surnagent: ceux qui ont l'habitude du bain, ceux qui portent haut leur nom, ceux qui ont du talent, ceux qui sont protégés...»

La porte se referme. Me voici face à moi-même: sur la table ces blocs imprimés, tous semblables, mes frères, ce n'est plus un manuscrit, on ne peut plus reconnaître mon écriture, à peine mes manies. En silence, j'entreprends, comme un collégien, de signer, sur la seconde page intérieure, chaque volume, à la main, pour sortir ces exemplaires, produits mécaniques, de la série, et leur donner vie. Dédicacer pour que vive l'objet! Une heure passe.

Vous avez terminé votre tâche. Vous sentez une grande lassitude vous envahir, avec même une certaine rancœur qui vous monte aux lèvres; le jeu commence mal. Non pas que vous n'auriez eu plaisir à faire parvenir à tous ces chroniqueurs de la littérature votre livre, au contraire, vous écrivez pour être lu, vous n'avez pas l'esprit de fond de tiroir, vous ne voulez rien cacher. Mais il y a la manière! S'asseoir devant ces exemplaires et faire en série un geste d'amitié, c'est tenir bordel. Combien de clients avez-vous satisfaits dans votre cagibi? La maison d'édition comme un hôtel de passe? N'est-ce pas ce que dit le Contrat que vous avez signé avec espoir? Les écrivains se vendent le cul? Ils flattent? Ils séduisent? Ils arpentent les trottoirs, se prétendent

aguichants? Mais vous exagérez! C'est une métaphore amusante, sans plus. Or il y a un petit *post coitum triste* qui vous arrache un soupir. Vous êtes assis sur une chaise de bois inconfortable. La cellule est glaciale. C'est pourquoi vous n'avez pas retiré votre imperméable. Vous avez terminé la séance dite de signatures. Vous frissonnez. Vos mains sont posées sur vos genoux, le stylo dort sur la table. La tête légèrement penchée, vous contemplez le plancher en vous demandant ce que vous faites là, dans le silence gris. «Ce que vous faites là? Vous faites l'écrivain mon cher.»

À ce moment-là, le Directeur du Service de Presse, qui connaît son métier, rentre brusquement, il vous a fait sursauter, il vous saisit sous le bras qu'il ne lâche pas et vous invite à le suivre au coin de la rue: il vous offre un pot. Vous acceptez. En sortant vous rencontrez sans les saluer (ce ne sont qu'employés) quelques responsables des services de production. À la porte d'entrée par contre, on fait les présentations: un *Auteur Célèbre* s'en va à son tour au cagibi. «Nous venons de terminer les signatures, c'est son premier roman, mais Vous, vous connaissez le chemin?!» Des rires. Des politesses. Des je vous lirai avec plaisir. Des à tout à l'heure! Au café! On se donne la main. Puis le Directeur me reprend par le bras. En se dirigeant vers le bistrot il me glisse à l'oreille que cet Auteur célèbre peut beaucoup m'aider. Que c'est très important cette Rencontre. Essentiel même. Puis il me tient son discours numéro trois pour écrivain naissant:

«Vous croyez à votre livre?» demande-t-il, sévère.

«Oui», répondez-vous, intimidé. «C'est le meilleur de moi à ce jour... Je veux dire: je suis allé au bout de ce que je pouvais faire... pour l'instant.» Vous transpirez. Vous allez attraper la fièvre.

«Il faut penser au prochain.»

«Déjà? Maintenant?!» Vous êtes fragile comme un glaçon. Vous éternuez.

«Si vous nous faisiez un grand livre cette fois», lance l'autre, «un six ou huit cents pages serrées. Un Goncourt. Vous en êtes capable...!»

«Et celui-ci?» demandez-vous avec inquiétude.

«Il ouvre la voie. Mais ce n'est pas suffisant. Le public ne doit pas vous suivre. Il faut l'arracher à son siège. Maintenant vous devez produire quelque chose d'énorme! Un *grand* livre!»

En traversant la rue vous avez pensé à l'effet de publicité qu'aurait eu à cet instant un accident. «Après avoir dédicacé ses œuvres, le Jeune Écrivain renversé par une voiture est mort dans les bras de l'attachée de presse.» Parlerait-on de moi en nécrologie ou dans les pages littéraires? Le Directeur jette un coup d'œil discret à son poignet: sa montre (suisse? japonaise?) lui mesure le temps, il a une vie découpée comme du saucisson, une tranche pour celui-ci, une rondelle pour celui-là. Nous mangerons la mienne avec de la bière et des œufs durs.

«Vous avez faim?! Vous êtes incroyable», me dit-il. «À cette heure!»

Les capacités de mon estomac l'intéressent autant que mes talents d'écrivain. Il commande une eau minérale. Il s'excuse: il devra boire avec six autres collègues avant déjeuner. L'alcoolisme le guette. Sa femme l'a quitté il y a trois mois. Sa maîtresse le trompe. Enfin. La vie. Vous ne l'intéressez déjà plus. La salle du bistrot est à demi remplie. Vous avisez une banquette dans un coin, vous vous y laissez tomber, le Directeur prend une chaise, il y a maintenant un rectangle de marbre entre vous deux. Vous songez à une épitaphe. Puis, levant les yeux, vous découvrez au mur une grande glace dans laquelle vous pouvez examiner sans qu'il le sache la nuque de votre vis-à-vis. Peut-être ainsi saurez-vous enfin ce qu'il a derrière la tête?

Dans le brouhaha du café on entend le téléphone du comptoir qui sonne avec insistance. Bien sûr que c'est pour lui. Doit repartir. L'auteur célèbre est en panne. L'aider. Il s'excuse et file vers la porte sans même payer. Un geste. L'ardoise. Évidemment. Vous, vous restez seul avec votre bière, votre œuf froid, dur et poli, votre conscience. Votre fierté. Votre anxiété. Vous attendez que l'auteur célèbre s'amène comme promis. Vous cherchez à vous rappeler le titre de son dernier livre. L'avez-vous même lu? Vous commandez une autre bière. Vous pensez: j'ai publié! Vous sortez votre livre de la poche de votre imperméable. Vous le posez sur la table. Si vous en aviez le courage vous rédigeriez une dernière dédicace. Pour l'Auteur célèbre que vous attendez justement. Lui faire plaisir. Mais il ne faut pas vous tromper. Trouver les mots. Vous pourriez entrer grâce à lui dans les arcanes de l'Institution littéraire. Vous aurez bientôt franchi la porte des Dédicaces. Il vous reste le corridor des Interviews. La salle des Critiques. Le banquet du Lancement. L'escalier de la Gloire. Le salon de la Renommée...! Il pourrait vous guider! Un maître! Un Auteur dont on dit qu'il est l'Un des Grands Romanciers de sa Génération.

Or, en réalité, devant votre livre qui gît ouvert à côté des morceaux épars de coquille brisée, devant votre verre où sèche la mousse, votre stylo Bic, votre cendrier qui déborde, vous savez d'intuition certaine que vous venez simplement, par ce livre qui vient de paraître, de vous enfoncer un peu plus encore dans la solitude de l'écriture. Que faites-vous là? Qu'attendez-vous vraiment? Qui peut vous aider? L'Auteur célèbre ne viendra pas. Il a certainement oublié. De toute façon il a certes mieux à faire. Ne doit-il pas s'occuper, comme un Auteur, de sa Célébrité?

L'ENTÊTÉ DE LA FAMILLE

Nous nous demandions: «Existe-t-il une littérature canadienne-française?» C'était à l'aube de la Révolution tranquille. Nous entendions: les œuvres d'ici ont-elles une originalité suffisante pour qu'on les réunisse sous un vocable particulier? Et puis: sont-elles assez nombreuses? Mais surtout: y a-t-il une caractéristique qui fasse de cette littérature un tout homogène?

Nous savions bien ce qu'était la littérature française, les plus grands auteurs de ce siècle ayant fait de Paris leur capitale. Comment pouvions-nous privilégier Montréal? Pouvions-nous même espérer être un mince chapitre de l'histoire de la littérature française?

Depuis, bien des encres ont coulé sous les presses. Nous voilà avec une littérature québécoise originale, et des œuvres suffisamment nombreuses pour que l'on puisse écrire tout un manuel de la littérature française en Amérique.

Nous voulions une patrie aussi. Mais nous devions, pour qu'elle existât, nous constituer un patrimoine. Ce patrimoine littéraire comprendrait forcément des œuvres patriotiques. La littérature, au Québec, devenait l'aspect fondamental d'un discours politique. Ailleurs, la littérature pourrait être la partie congrue d'un discours sur la sexualité, par exemple, ou sur tout autre chose. Ainsi de suite. Chaque culture privilégiait, suivant la conjoncture, certains discours.

C'est dire que l'écrivain se retrouve avalé par le discours politique. Mais aussi les lecteurs, institutionnels ou libres, habitant la même structure, retiendront pour mémoire les œuvres qui constitueront le plus clairement possible ce patrimoine nécessaire.

Depuis les tout premiers temps, nous écrivons en famille, pour la famille. Les livres d'exhortations et de dénonciations s'enseignent en classe. Un roman québécois ne peut devenir un classique que s'il est possible de l'interpréter dans la grille du discours politique structurel. Qu'est-ce donc qui a changé, des ouvrages patriotiques du XIXe siècle à ceux d'aujourd'hui? Fondamentalement une seule chose: le style.

Quand les scribes avec leur stylet écrivaient sur la pierre, on reconnaissait à certains d'entre eux déjà, un style. Ce style en Chine est un coup de pinceau. Ailleurs, les critiques parlent d'un texte où l'on sent la *patte* de l'écrivain, la *griffe*, ce qui est plus exact. L'écrivain donne du style à ce qui n'en a pas. Et Sartre dira du style qu'il est l'homme. C'est pour sauver de mauvais textes sûrement, ou une pauvre valeur morale, qu'en analyse littéraire l'on se mit un jour à distinguer entre la forme et le fond.

Car le fond importe peu: il est, *fondamentalement*, le même d'un livre à l'autre. Les intrigues ne varient pas à l'infini, et l'on peut réduire le fond à un certain nombre de grands thèmes, son expression à un certain nombre de structures. C'est dans cette perspective que l'ouvrage de Propp (*Morphologie du conte*) est révélateur: le *fond* des contes populaires comprend un certain nombre d'*invariables*. Je me souviens que l'auteur d'*IXE-13*, qui publiait un feuilleton hebdomadaire *fermé* (c'est-à-dire dont l'histoire devait se terminer chaque semaine, mais les héros reprendre l'exercice de leurs pouvoirs chaque lundi) me parla, quand nous devisions de l'ouvrage, d'un manuel américain publié à

New York dans les années vingt et qui, sous le titre de *Plotto,* résumait *toutes* les intrigues possibles des romans d'action. Ce livre, que je n'ai jamais pu retrouver, doit dormir sur la table de tous les *pulp writers* d'outre-frontière.

Le *fond* donc c'est le *sujet,* et le *sujet,* dans une conjoncture littéraire, *va de soi.* L'écrivain n'invente rien, c'est un *styliste.* Comme en coiffure.

La forme, dont on dit naïvement qu'elle n'est *que* la forme, est le *tout* de l'écriture. Un écrivain sans style (c'est-à-dire qui ne ménage à l'esprit aucune surprise, le style étant l'information de l'intelligence, le stimulus du raisonnement) demeurera un écrivain de fond qui accumulera livre sur livre sans jamais attirer l'attention, retenir l'imagination, ou même *ajouter* au patrimoine littéraire. Un écrivain sans style est habituellement celui qui écrit en se référant à des modèles (un peu surannés) sans se rendre compte que ces modèles justement étaient les grands stylistes du siècle précédent. D'autres ne mimeront que le style à la mode, *hair-stylists* qui fermeront boutique en passant à un cheveu de la renommée.

Ce que les écrivains québécois des années soixante ont apporté au discours (que j'ai déjà dit texte national, catalogne, chanson à répondre, politique patriotique), ce fut l'éclatement de styles remarquables, qui s'exercèrent toujours à propos du même fond. Marie-Claire Blais, Claude Jasmin, Hubert Aquin, Jacques Ferron, Réjean Ducharme, pour ne citer que les cas les plus évidents, avaient, dès leur premier livre, un style qu'ils affirmèrent, creusant notre problématique patrimoine. Notre littérature, Gaston Miron a du style, se mettait à exister, Marcel Dubé avait du style, soudainement comme autant de poèmes, de romans, de chansons, Gilles Vigneault a du style, de textes renouvelés. L'auteur le plus étrangement lucide de cette aventure stylistique étant bien malgré lui Gérard Bessette qui se mit à polir *des styles* pour être dans le ton.

Car la qualité seconde d'un ouvrage, c'est d'être *dans le ton*. Il y a des sons que les Parisiens n'entendent plus, le *brun* est devenu, à leur oreille, «*brin*». De même il est une qualité particulière du style: à certaines époques, l'on n'entend plus certaines voix.

Il existe en effet une conjoncture des styles: celui-ci, s'il n'est pas à la mode, ne sera pas retenu, celui-là, s'il sacrifie trop facilement à cette mode, se noiera dans le bruit de fond. L'on pourrait développer un modèle de potentiomètre dont l'aiguille avertirait l'auteur inquiet quand son style dépasse l'audible ou se perd parmi les parasites.

Ce qui caractérise la seconde moitié du XXe siècle, en art, c'est la présence totalitaire des parasites du style. Jadis la publicité créait des styles, allant jusqu'à employer des peintres qui conçurent l'affiche-œuvre d'art. Aujourd'hui la publicité a pris une telle ampleur, surtout à la télévision, que ses producteurs sont devenus des «spécialistes» (artistes, écrivains, musiciens mineurs) qui acceptent de produire à salaire des imitations d'œuvres authentiques. C'est le plastique de la culture.

La publicité n'est pas l'ennemie du style, mais au contraire en vit, comme un vampire du sang des vierges. Parce qu'elle use rapidement le ton, elle se doit de relancer des *modes*, et change à coup sûr la configuration de l'écriture: ainsi le discours publicitaire est commercial, le discours littéraire est patriotique, mais si ce dernier devient populaire, le discours publicitaire s'ornera alors des oripeaux nationaux qui lui permettront de faire du style, et commerce de style. Il y a là, naturellement, une relation dialectique.

Toute langue n'a d'existence que par un langage; la langue française en Amérique a ses paroles. Tout langage permet la constitution de différents discours, dont le plus important est peut-être le discours sur le langage, c'est-à-dire l'écriture littéraire.

La littérature québécoise constitue le patrimoine de la langue française en Amérique, que l'on peut se transmettre, comme un héritage culturel sans lequel le pays n'existerait tout simplement pas. La littérature en effet n'est pas une science, c'est une preuve de l'existence de l'homme, des hommes, des communautés. C'est une trace.

Dans un petit magasin *souvenirshop* du Vermont, on peut voir, au mur derrière la caisse, cette devise encadrée: «Pourquoi suivre un sentier quand on peut partir à l'aventure et laisser des traces?» Il y a des moments où l'on se suit, à la queue leu leu, dans des sentiers, et d'autres, fulgurants, où s'éparpille la marmaille dans les sous-bois. Le style, c'est une façon à soi d'être un coureur des voix.

La littérature de langue française en Amérique, ce langage privilégié, va demeurer vraisemblablement l'élément fondamental d'un discours politique. Cela me semble inévitable. En somme, pour parler comme en classe des Belles-Lettres, le fond, les grands sujets, les thèmes resteront patriotiques, puisque notre langage se cherche une patrie justement, et que de toute façon le *fond* échappe toujours aux auteurs, étant un effet de structure.

L'agacement de tant d'auteurs vis-à-vis de la littérature québécoise des dernières années tient à deux phénomènes complémentaires: l'abus de style, comme on dit l'abus de pouvoir, que provoqua le déferlement du langage parlé dans le texte écrit, et l'apparition discrète d'auteurs (Desrosiers, Beauchemin, L.-P. Hébert, Rivard, Morency, etc.) qui n'ont pas encore eu le temps d'affirmer leur présence dans l'espace littéraire.

Mais comment remarquer l'émergence d'un auteur quand tout le tam-tam de la guerre du joual créait un bruit de fond tel que les lecteurs se bouchaient les oreilles?

De plus, la crédibilité des écrivains québécois, annonçant la venue d'une patrie, depuis si longtemps, et de nouvelles indépendances, se cassait les dents contre la victoire politique de 1973 comme elle s'était effritée devant une armée réelle en 1970. Le style ne gagne jamais contre les fusils. Et la littérature ne saurait résister au peloton d'exécution. Si, comme l'affirme Michel Van Schendel, les mots sont des balles, je crains que ce ne soit par analogie. Comme c'est par analogie que l'on parle de révolution en littérature. Les grenades culturelles qui explosent ne tuent personne: au contraire, leurs éclats fécondent.

Donc quelques auteurs sont apparus depuis les explosions de la Révolution tranquille, dont l'École des romanciers du Jour (V.L.B., Benoit, Poupart, Turgeon, Carrier, etc.) fut le dernier écho sonore. Mais quelques auteurs ne font pas un nouveau *mouvement*, et quelques personnes du style (comme on disait *les personnes du sexe*) ne suffisent pas à provoquer une *nouvelle* explosion culturelle. Qu'un grand nombre de livres de «la relève» meurent de sécheresse dans les entrepôts n'est qu'un hommage douteux rendu aux éditeurs.

Attendons donc patiemment que chacun fasse son métier. Et remettons en question, puisqu'il le faut, l'économie du livre.

Et puis, en attendant, le lieu de réflexion le plus révélateur pourrait être le champ critique. Les modes critiques (l'Université à la recherche d'un style) font depuis longtemps grande place à la théorie aux dépens des pratiques. Et de plus en plus d'auteurs ont la littérature coupable, cherchant des cousinages plus scientifiques qu'il n'en est besoin. Pire encore: la théorie critique passe les frontières aussi facilement que des B-59, parce qu'elle plane haut, puis bombarde allégrement une littérature québécoise avec des explosifs à billes parisiens. Voilà l'écrivain québécois comme un paysan vietnamien...

Le champ critique est miné. Mais il ne faut pas en faire un mélodrame, le Canadien français a toujours mieux réussi dans la résistance que dans la révolte. Et son fils, l'écrivain québécois, est sûrement le plus entêté de la famille.

L'ÉCRIVAIN D'AFFAIRES: LA LITTÉRATURE MISE À PRIX

La fin de ce siècle marquera-t-elle la mort d'une conception romantique de la littérature? Et l'apparition d'une vision économique de l'écriture? La naissance des syndicats, des Unions, les querelles des Sociétés de perception, les nouveaux slogans qui appuient le droit au salaire de l'écrivain, les attitudes inattendues des poètes qui s'étonnent de n'être pas payés pour chaque ligne rimée, les politiques gouvernementales qui, au fédéral en ce qui touche aux droits d'auteurs pour les livres empruntés en bibliothèque, au provincial pour ce qui est de la photocopie, problèmes traités au niveau international par ailleurs, et jusqu'à la publication d'un engagement formel du gouvernement québécois sur la rémunération des créateurs, est-ce autant de symptômes d'une idéologie galopante?

L'éditeur Laffont, dans un texte publié pour célébrer l'anniversaire de sa maison, se désolait récemment de ne plus trouver les relations avec les auteurs aussi agréables qu'autrefois. Hier le simple fait d'être publié, mis en librairie, suffisait à l'écrivain. La gloire était notre salaire. Aujourd'hui chacun se conduit comme un locataire et recourt à la Régie des Loyers pour le moindre accroc. L'éditeur est vu comme un propriétaire avec qui le bail est négocié durement. Il n'y a plus, ou presque, de grandes amitiés entre des écrivains et des directeurs de maisons d'édition. Les auteurs changent de toute façon d'éditeur comme de chemise, et l'écrivain n'est même pas étonné et ravi d'être «découvert». Cela lui revient, croit-il, *de droit*. Tout un chacun s'étonne de ne pas être sur la liste des best-sellers.

Or il me semble, une fois encore, que cette attitude nouvelle, cette conception de la *littérature payante*, n'est pas une idée d'intellectuel, mais une réalité du marché que les écrivains se tuent à justifier et structurer. Quand nos livres, après trois semaines sur un comptoir, parce qu'ils n'ont pas bougé, sont retirés d'office comme des tomates trop mûres, nous ne sommes plus en littérature pour la gloire, mais en littérature pour l'argent. Le modèle de l'écrivain n'est plus le héros militaire ou l'aventurier, c'est le comptable, le courtier. La littérature ne se discute plus dans les cafés enfumés, elle se débat à la bourse des traductions et au coût du papier, à Francfort, à Montréal ou à New York. La littérature a été mise à prix. L'écrivain aussi. Il faut faire le Goncourt. Et il en est de même pour les autres arts.

Au temps du roi, l'élite écrivait pour l'élite et cherchait la reconnaissance de la cour. Corneille voulait tant une pension que, quand il l'obtint, il cessa tout de go d'écrire. La diffusion de l'imprimé et de l'instruction fit ensuite du peuple le *benefactor*. Pour séduire le peuple il fallait être *avec* lui. Le poète des temps classiques était un sage qui maniait le code mieux que quiconque. Virtuose. Son modèle? Le gentilhomme, qui ne bouleverserait jamais l'ordre établi. Puis le romantisme s'installa avec la révolution industrielle. Tout devint possible, même s'enrichir sans pour autant appartenir à la noblesse. L'écrivain se mit à écrire pour changer le monde, il était le fils «rebelle» de la bourgeoisie. Son modèle? Le militaire qui se battait l'épée nue pour la gloire de la patrie, l'aventurier qui explorait des contrées lointaines au temps béni des colonies.

On pourrait poursuivre ces descriptions en les raffinant. Qu'il suffise de dire que l'écrivain-type et sa justification ne sont pas le fruit d'une volonté des littéraires. La principale tâche du «milieu» consiste en effet à justifier *à mesure* les changements de modèles.

Pierre Maheu, dans un article posthume publié par *le Temps fou* (au printemps 1981), a merveilleusement décrit les limites et le rôle de l'homme politique. Celui-ci, a-t-il démontré, ne précède pas la volonté populaire et même ne change rien à la réalité. Il est, écrit Maheu, «l'agent de la réalité». C'est-à-dire qu'il confirme dans des lois des états de fait déjà acquis. Un gouvernement ne fait somme toute que légaliser ce qui est économiquement possible et déjà accepté dans les mœurs. Qu'en est-il de l'artiste? Est-il lui aussi un «agent de la réalité»?

La conception romantique du rôle de l'artiste (du poète, de l'écrivain, de l'intellectuel) nous a tous plus ou moins amenés à voir celui qui pratiquait l'écriture comme un «révolutionnaire». L'écrivain sur les barricades. L'écrivain à l'avant-garde. Et le reste, jusqu'au suicide bien sûr. C'est Shelley qui écrivit: «*Poets are the unacknowledged legislators of the world*». Or comme le dit Michael Walher dans la *N.Y.R.B.*: «*He was not speaking in metaphor. He meant that they really do discover, shape and announce the moral law*». C'est que l'artiste a comme fonction de préparer le terrain, d'assouplir les mœurs. Il est l'avant-garde de l'agent de la réalité. Le libéralisme économique avait besoin de consommateurs «libérés»? Le poète a accompli sa tâche et livré la marchandise: y compris les féministes.

Les auteurs de films et de livres de science-fiction, d'Adamov à Lucas, ne font pas autre chose. Ils nous préparent à une guerre des étoiles pas si lointaine, et personne parmi nous ne s'étonnera de rencontrer un jour des astronautes en scaphandre sur le Champ-de-

Mars. Depuis des années Ray Bradbury décrit les traumatismes que nous aurions pu subir s'il n'avait écrit sur les traumatismes que nous n'avions encore subis.

L'homme politique est l'agent de la réalité. Le poète est son messager. Il est celui qui met la société en mouvement, fait circuler les idées, propage les images, négocie des comportements dans la marge pour mieux les étaler ensuite au grand jour. Le poète romantique, aventurier du cœur, de la politique, des formes ou des mœurs, aura amoindri les chocs de l'industrialisation et empêché les sociétés occidentales d'éclater.

Or où en est la *Réalité* aujourd'hui? De quoi a-t-elle besoin? De qui sommes-nous les marionnettes? Dans quel scénario? Avant-hier écrivains de cour, hier écrivains des peuples, aujourd'hui écrivains de marché, semble-t-il, les poètes font des chansons qui font des ritournelles qui font des films qui font vendre des produits. La poésie a trouvé dans l'Agence de publicité l'éditeur de la nouvelle marginalité. Il se publie bien sûr encore des poèmes difficiles, comme l'on fait encore de l'art non-figuratif, mais cela a peu d'importance. Ce n'est plus en effet une activité sociale ayant pour but d'annoncer de nouvelles lois morales, mais une activité officielle, de bonne société, encouragée par les Conseils des Arts afin de rassurer les poètes sur eux-mêmes. De toute manière, à s'entre-lire et s'entre-regarder, ces créateurs finiront tous comme Molinari par vendre leurs œuvres aux musées en échange d'une cote et d'un dégrèvement fiscal.

C'est ainsi qu'il faut lire, je crois, les conseils donnés aux hommes d'affaires en ce qui concerne le marché de l'art. Je n'en veux pour exemple que ceux de M. Don Beach, comptable agréé de l'Ontario, qui dans le *Financial Times* (18 mai 1981), sous le titre «Investir dans l'art pour le plaisir et le profit», expliquait que le domaine de la peinture n'est pas mystérieux, mais réglé come du papier à musique. Après avoir affirmé que l'on ne doit jamais acheter un tableau que l'on n'aime pas, Mr. Beach établissait ainsi les critères d'investissement en art (on peut remplacer artiste par écrivain, galerie par éditeur, exposition par prix, style par œuvre, productivité par périodicité, et le reste):

— L'artiste choisi doit être connu au Canada et si possible à l'étranger.
— Être connu veut dire avoir eu des tableaux dans des expositions, concours, encans et être «bien vu» de ses confrères.
— Les œuvres doivent être vendues par une galerie reconnue.
— L'artiste doit posséder un style unique, constant, et doit contrôler la qualité et la quantité des œuvres qu'il place sur le marché.
— Il ne faut jamais investir dans plus de quatre ou cinq artistes à la fois.
— Il faut faire affaire avec un intermédiaire sérieux qui non seulement peut aider à l'achat, mais aussi à la vente.
— Il faut éviter de tomber dans les styles à la mode car ils ne durent jamais très longtemps.

Ces conseils, parus dans le *Financial Times*, sont répétés dans toutes les publications du genre. Les termes sont donc les mêmes s'il s'agit d'acheter une part en bourse ou un tableau. Mais ne sont-ils pas ceux-là mêmes que *nous nous sommes donnés en littérature*? Au fait est-ce bien *nous* qui nous les sommes attribués? N'avons-nous pas, tout simplement, codifié les lois du marché? Le commerce, dans nos sociétés industrielles avancées, n'a plus besoin de l'artiste comme le décrivait Shelley. Il en a besoin comme d'un producteur, dans une économie du désir dont les objets doivent être rentables. D'où la nouvelle conception qu'a de lui-même l'écrivain: celle d'un homme d'affaires doublé d'un agent littéraire, qui, entre deux contrats à la télévision, se remémore avec nostalgie l'époque où le scribe était un héros.

Le poète a tenu dans ses mains la lyre, puis le fusil; aujourd'hui on le rencontre avec son attaché-case. Il est professeur, il reçoit un salaire de la société comme une P.M.E. reçoit une subvention, il produit «son œuvre» et tourne la roue du marché!

Tom Wolfe a publié dans *Harper's* un extraordinaire article intitulé *From Bauhaus to our House* dans lequel il décrit le fonctionnement des chapelles intellectuelles et leur influence sur l'architecture contemporaine. C'est une analyse magistrale des rapports entre la médiocrité de la pensée et la misérable architecture de l'angle droit. Il y déshabille entre autres Le Corbusier qui jamais ne survivra à cette critique. Mais Tom Wolfe lui-même tombe dans le panneau en oubliant que la seule tâche des architectes, depuis le Bauhaus, était justement la rationalisation sous forme d'idéologies «de gauche» de l'utilisation des matériaux usinés. Tant et si bien qu'aujourd'hui les architectes, ayant accompli leur tâche, sont en voie de disparition, remplacés par les ingénieurs et la table à dessin électronique.

Que faire? Existe-t-il un interstice, une faille dans la Réalité? Sommes-nous condamnés à n'être que les étoiles d'une configuration galactique qui nous échappera toujours? Et si je pose ces questions est-ce en toute liberté d'esprit, ou parce qu'il faut trouver un nouveau modèle, celui de l'écrivain-d'affaires étant déjà dépassé?

ÉCRIRE EN L'AN 2000

Il y a vingt ans, au début des années soixante, la mode était à la *prospective*. Suivre la mode, comme démarche intellectuelle, c'est, à proprement parler, se vouloir moderne. Et nombreux étaient ceux qui ne savaient résister.

L'exercice prospectiviste consistait à construire des scénarios de développement de société. Il s'agissait de concevoir les structures et les rapports possibles, de rêver d'interventions qui changeraient la vie. Nous nous sentions pressés de penser le progrès social.

D'où nous venaient ces urgences? D'une conjoncture économique nouvelle qui permettait à l'État soudain enrichi de disposer de moyens d'action jusqu'alors impensables. L'on concevait les politiques de l'avenir dans l'euphorie bienfaisante de l'enrichissement collectif, persuadés que nous disposions d'outils adéquats.

Il y avait dans l'air un appétit de changements. Les peuples du Tiers-Monde luttaient contre le colonialisme. La planète voyait naître des pays nouveaux. Nous parlions d'indépendance et de projets de société. La souveraineté nous apparaissait un idéal réaliste vers lequel, inéluctablement, marchait le peuple confiant, précédé de ses intellectuels «prospectivistes».

Notre richesse? Les matières premières «inépuisables». Notre force? Nos matières grises fraîches émoulues des universités.

La «prospective» fut le feu d'artifice des sciences humaines: un scénario devait tenir compte des acquis de l'anthropologie, des données de la sociologie, des prévisions des sciences économiques, des courbes démographiques, le tout servi sur le plateau des sciences politiques.

Vingt ans plus tard la prospective a cédé la place à la *futurologie.* C'est que l'an 2000 approche, et que le passage d'un millénaire à l'autre fait ressurgir, chaque fois, la pensée magique.

Or autant la «prospective» des années soixante était fondée sur la foi dans les sciences de l'homme, comme si celles-ci, à elles seules, allaient permettre d'améliorer nos sociétés, autant la futurologie s'appuie aujourd'hui sur la *technologie* comme outil de transformation. Hier les changements dans les orientations sociales dépendaient de nos volontés populaires, des programmes politiques, des technocrates, et des choix intellectuels. Aujourd'hui nous serions une masse passive transformée malgré elle par les outils qu'elle utilise.

Les futurologues, contrairement aux prospectivistes, cherchent donc à quantifier l'impact de la technologie nouvelle sur les sociétés. Les futurologues professionnels existent en deux catégories: les utopistes, qui prédisent l'abondance, la joie, le plaisir et la satisfaction dans un avenir paradisiaque dont l'an 2000 serait l'an un; et les marchands de catastrophes, qui annoncent le pire en ajoutant tout bas qu'ils ont dans leur poche des solutions de rechange.

La futurologie est un commerce. Comment fonctionne-t-il? Une entreprise, un secteur manufacturier, un gouvernement (ou les trois ensemble) commandent à un Directeur de recherches sur le futur une étude à propos, disons — puisque nous sommes entre écrivains — , du marché du papier. Le rapport comprendra deux scénarios, habituellement. Un premier qui projettera, à partir des données connues aujourd'hui, la réalité en progrès continu, comme s'il n'y avait aucun choc prévisible à l'horizon. Le second, pessimiste, annoncera des catastrophes. Qu'en l'an 2000, par exemple, il n'y aura plus aucun marché pour le papier parce qu'une pellicule de plastique l'aura remplacé dans la production des livres, cependant que tous les journaux seront distribués sur écran cathodique. D'où la recommandation de ne pas planter d'arbres, car plus personne dans vingt ans n'aura besoin de forêts. Bien sûr, si personne ne se préoccupe de reboiser, les prédictions des futurologues se réaliseront. Il n'y aura plus de papier. En ce sens le prophète, dans tous les domaines, peut agir sur la réalité historique en autant qu'on lui prête foi.

Habituellement cependant les entreprises, bouleversées par les perspectives qu'évoquent les rapports, accordent aux futurologues un second contrat, plus plantureux encore, afin d'obtenir un scénario de stratégies permettant de contrer les ennemis et d'éliminer les obstacles. Le futurologue consultera alors ses confrères suivant une méthode mise au point à la Rand Corporation.

Cette méthode n'est pas très éloignée de celle adoptée par les Rencontres d'écrivains. Elle consiste à demander à des praticiens d'analyser la situation présente et d'élaborer chacun un scénario d'avenir. Ces scénarios sont ensuite comparés, discutés, confrontés, et l'on établit, sur un graphique de vingt ans, la probabilité d'apparition des diverses technologies nouvelles. Ces probabilités sont ensuite réévaluées par le même groupe et le consensus qui se dégage permet, si l'on est en 1950, de prédire que l'homme marchera sur la lune au début des années soixante-dix. Et si l'on est en 1982, qu'une guerre nucléaire a 75 % de chance d'éclater avant l'an 2000.

Or ces exercices se justifient, à l'évidence, si vous êtes dans le commerce de la balayeuse. Il n'est pas sans intérêt de savoir quand apparaîtra le prochain robot ménager. Mais, comme me l'a répété sans arrêt depuis que je le connais, espérant que je l'entende un jour, le critique Gilles Marcotte, le progrès, en art, *n'existe pas*. Si la technologie s'améliore, la littérature ne se transforme pas pour autant, elle persiste, elle dure, elle se perpétue. Elle se répète.

Bien sûr, les styles changent. Certaines histoires, à certains moments, sont plus envoûtantes que d'autres. À l'occasion, l'écriture sera plus ou moins efficace. L'écrivain, à force d'écrire, améliore ses techniques, maîtrise des procédés. Mais la littérature n'est pas un savoir en progression, ce n'est pas une science, c'est un effet de langage.

L'œuvre de Laurence Durrell n'est pas en progrès sur celle de Rabelais. Écrire en l'an 2000, ce sera comme écrire en l'an mille.

J'en étais là de mes réflexions, rédigeant ces notes l'autre soir, quand j'ai reçu un coup de fil d'un intellectuel de la côte californienne. (Il me téléphone de temps à autre, car nous avons un projet de film en commun.) Il voulait me prévenir. Il était particulièrement inquiet. Jusqu'à aujourd'hui, disait-il, l'on voyait des gens perdus dans une société de plus en plus complexe, difficile à saisir, abstraite et cruelle. Cela expliquait l'augmentation des suicides, la progression du crime et l'usage de plus en plus grand des drogues fortes. (Il sait ce dont il parle, Los Angeles où il habite n'a plus aucun respect pour les anges.) Il ne me téléphonait pas pour ça, mais parce qu'il avait acquis la certitude récemment que la dislocation de nos sociétés allait s'accélérer. Qu'il faudrait concevoir notre culture comme écartelée entre la campagne, la ville et l'électronique. L'électronique était un nouvel espace et une nouvelle dimension du temps; les hommes de la civilisation agricole ou de la civilisation industrielle appartenaient à une catégorie inférieure.

L'objectif de la civilisation agricole était de vêtir et de nourrir ceux qui s'étaient contentés jusque-là de grappiller et de cueillir pour subsister. L'objectif de la civilisation industrielle avait été la multiplication des objets de nécessité, de plaisir et de confort. La civilisation de l'électronique avait aussi un objectif, disait-il, diamétralement nouveau, opposé même aux anciennes civilisations qui s'embourbaient dans le matériel. Il bégayait un peu en me racontant cela. Sa voix, transformée par le désir de convaincre autant que par le cornet acoustique, était très intense. La civilisation électronicienne, dit-il, avait comme objectif premier la production d'une *intelligence artificielle*.

Il avait rencontré dans divers centres de recherche, dont celui de Stanford, des hommes qui tentaient de décortiquer le cortex pour qu'un ordinateur puisse le mimer, puis le dépasser. Toute la civilisation nouvelle serait centrée sur l'intelligence, sa production, sa reproduction, son fonctionnement, ses jeux.

Évidemment, ajouta-t-il, ce n'est que le début, mais quiconque ne peut utiliser un ordinateur aujourd'hui, programmer une séquence ou court-circuiter un logiciel, est déjà laissé pour compte. D'ici l'an 2000 ce sera terrible, lança-t-il, je ne crains rien pour les enfants, l'ordinateur est déjà en classe, mais je pense à ces millions de femmes et d'hommes qui ne sauront pas s'adapter.

Pour pouvoir produire une intelligence artificielle, aussi complexe que la nôtre, capable de rapports inattendus, d'éclairs de génie, de dépressions profondes, d'entêtements, de sarcasmes, d'humour et de sentiments tragiques, les ingénieurs de Los Angeles, et ceux de Moscou très certainement aussi, passent, dit-il, le plus clair de leur temps désormais à étudier les phénomènes de la connaissance.

Mon ami californien croyait qu'ils arriveraient à percer le mystère du cerveau, à le reproduire et à l'améliorer. Ce ne sont pas tant les circuits et les puces de silicium qui l'excitent, que les perspectives qu'ouvrent les logiciels. Avant de clore la conversation il me demanda, civilisé de je ne sais quelle civilisation, si j'écrivais toujours. Tu as publié un livre récemment, ajouta-t-il, je suis heureux pour toi. Puis il raccrocha. J'eus le vertige.

Acceptons dès l'abord que les cerveaux électroniques savent, sans faille, en quelques millioniémes de seconde, exécuter des opérations mathématiques complexes, poser des problèmes, les résoudre, diriger, corriger et récompenser des robots. Pourquoi une intelligence artificielle ne pourrait-elle faire de la littérature? Le langage est un code. Les structures du récit se codifient elles aussi. Se pourrait-il que si l'on inscrivait dans la mémoire d'un ordinateur tous les mots de la langue, leurs permutations, la syntaxe courante et la logique des récits, se pourrait-il que cette mémoire permette à une intelligence artificielle de produire un texte littéraire? Une opération algébrique est-elle si différente d'une opération poétique? Moins intime? Faudrait-il alors autant de logiciels que nous voudrions d'auteurs? Ou bien un seul ordinateur, nourri d'un logiciel à input variable, pourrait-il écrire simultanément les œuvres de Gide, Proust, Malraux et Camus pour ne citer que des «laissés pour compte»?

Mieux encore. Un logiciel conçu pour insérer dans la mémoire de l'intelligence artificielle toutes les caractéristiques de la pensée et du style d'un auteur ne pourrait-il assurer que cet auteur, par ordinateur interposé, puisse continuer son œuvre après sa mort? Avec ce système, Shakespeare écrirait encore.

Mon ami californien avait raison de s'inquiéter. Jusqu'à tout récemment l'on m'avait plutôt présenté l'ordinateur comme une prothèse, un outil dont on pouvait bien se passer. Une façon tout simplement de faire mieux et plus vite les gestes mécaniques de l'écriture. C'est d'ailleurs ce que l'on avait raconté à Northrop Frye, le réputé critique d'origine canadienne.

Cet humaniste a consacré les dix dernières années à rédiger un essai intitulé *The Great Code: the Bible and Literature*. Northrop Frye est un littéraire que n'effraie pas le modernisme. Aussi, quand l'Université de Toronto lui offrit les services de l'ordinateur pour la rédaction finale de son livre, il ne put résister. Malgré son âge avancé, ou à cause de celui-ci, Frye voulait à tout prix gagner du temps. La machine allait lui épargner, lui avait-on dit, avec ses outils de traitement de citations et de textes, de précieux mois.

En novembre dernier, le livre du professeur Frye fut enfin annoncé dans toutes les grandes publications littéraires, dont le *New York Review of Books*. Monsieur Frye entreprit une tournée des médias, pour faire la promotion de son livre. L'on chuchotait en coulisse qu'il serait candidat au Nobel. Puis soudain une nouvelle consterna le monde de l'édition: «Snafu», l'ordinateur de l'université, avait tout gâché. Les textes étaient en désordre, les citations de travers, des disquettes s'étaient perdues, des rubans avaient été effacés, la plomberie avait lâché. À vouloir faire vite l'on avait pris du retard et *The Great Code* qui devait paraître à l'automne fut repoussé au printemps; le temps de le récrire à la main.

Cela rassure.

Les ingénieurs que j'ai rencontrés soutiennent que l'ordinateur va augmenter la productivité des écrivains.

Pourquoi chercher dans un dictionnaire l'orthographe et le sens d'un mot, disent-ils, quand on peut interroger son écran cathodique et obtenir immédiatement la réponse? Pourquoi? Parce que chaque fois que je mets le nez dans un dictionnaire, c'est moins pour trouver l'étymologie d'un mot que pour me perdre dans ses pages, rêver devant les illustrations, butiner, errer. Je ne sais pas toujours ce que je veux. Je ne suis pas ingénieur. Je ne cherche pas d'informations.

Rêver d'augmenter la productivité d'un écrivain, c'est comme vouloir augmenter la productivité d'un orchestre. Est-ce qu'une symphonie, jouée en quarante minutes au siècle dernier, pourrait, grâce aux systèmes de son améliorés, être entendue en dix minutes aujourd'hui? La productivité n'a d'intérêt que lorsque l'on peut *répéter* un objet. Une presse à disque peut être améliorée.

Mais chaque livre de littérature est un prototype. Il est évident que des écrivains prendront plaisir à utiliser l'ordinateur. J'en connais quelques-uns qui jouent déjà avec leur écran comme d'autres aux échecs. Ils ont formé un club social remarquable, puisque tous les écrivains de l'Amérique du Nord qui ont l'ordinateur à la maison peuvent par exemple correspondre, échanger des textes, entreprendre, par micro-ondes, des projets en commun. Mais entre une lettre, livrée instantanément par ordinateur, et le courrier paresseux que nous connaissons, il n'y a que le facteur temps qui change. Ceux qui sont pressés ont donc à leur disposition des outils plus rapides. *Mais qui est pressé?*

Ceux qui voient l'écriture comme une dimension de la comptabilité seront ravis en l'an 2000. Comme sont ravis déjà les acheteurs de romans «personnalisés». À Toronto, un libraire astucieux a programmé un petit ordinateur. Sur demande le client peut obtenir un roman d'amour, d'aventures, de suspense ou de littérature dont les noms des personnages seront de son choix. Habituellement, le client fait remplacer les noms des héros par le sien propre et celui de sa petite amie. Hier le lecteur acceptait de s'identifier au personnage principal d'un livre. Aujourd'hui il veut s'y substituer.

Hier tout se passait dans la tête, dans l'esprit, dans les livres, à l'écoute d'une voix intérieure. Aujourd'hui tout se passe devant les yeux, dans l'espace, sous la dictée de voix extérieures.

Mais il n'y aura rien en l'an 2000 qui n'existe déjà. Tout au plus quelques portes fermées derrière soi.

Ce ne sont pas tant les écrivains qui seront transformés, dans les années à venir, par la plomberie électronique, que les lecteurs. Quand chaque demeure aura en son centre une salle des médias, qu'on utilisera le clavier du micro-ordinateur pour obtenir, à l'écran cathodique, des milliers d'informations, depuis celles du bottin téléphonique jusqu'aux définitions encyclopédiques, depuis les bibliographies spécialisées jusqu'aux extraits de presse, quand on fera son marché à l'image, quand on échangera de la documentation, quand on ne se déplacera plus et qu'on pourra travailler, jouer et se divertir devant l'appareil de télévision, alors le lecteur ne sera plus le même.

Jusqu'en 1950, l'on pouvait opposer la Littérature et la Nature. Ne pas lire, c'était marcher dans les bois, flâner devant des vitrines alléchantes, à l'occasion aller au cinéma, écouter la radio. Les hommes étaient libres de leurs mouvements, ils habitaient des réalités, ils avaient déjà vu des quartiers pauvres, des routes de terre, au hasard de promenades en voiture; les enfants jouaient à mille jeux, qu'ils inventaient le plus souvent.

Les lecteurs de l'an 2000 formeront la troisième génération à avoir été nourrie principalement au biberon électronique. La plus grande part de leur information leur aura été distillée par la télévision. Cette année-là, la littérature ne s'opposera plus à la nature, *mais sera en conflit avec la représentation.* La structure intellectuelle, le lexique mental des enfants de l'an 2000 se sera peu à peu constitué par l'addition d'impulsions magnétiques colorées. Schizophrènes, les lecteurs prendront le plus souvent les images pour la réalité. C'est ce que souhaitent évidemment les publicitaires.

Il m'arrive de rencontrer des étudiants «condamnés» à lire et analyser l'un de mes romans. Or je peux affirmer que depuis quelques années, par exemple, les adolescents ne sont plus en mesure de comprendre, dans un récit, le retour en arrière. Le flash-back, comme l'on dit au cinéma. Il leur est strictement impossible de se situer dans un livre dont le temps est morcelé, manipulé, découpé.

Pourquoi? Parce que les récits, à la télévision, les séries et les téléfilms, sont depuis plus de dix ans conçus de façon linéaire. Comment en effet raconter une histoire avec des retours inopinés dans le passé lorsqu'à toutes les huit minutes on doit l'interrompre pour trois minutes de publicité? Personne ne s'y retrouverait entre les «commerciaux» et les flash-back.

La plomberie électronique a déjà produit une génération d'enfants riches de millions d'images, nourris de représentation, mais qui ne peuvent entendre qu'une structure: la chronologie.

C'est vraisemblablement ce qu'un confrère de Northrop Frye, Marshall MacLuhan, voulait dire quand il nous annonçait une *nouvelle* façon de *percevoir* induite par un *nouveau médium.* MacLuhan pensait au lecteur, plus qu'à l'écrivain.

Les écrivains de l'an 2000, ceux qui enverront avec candeur cette année-là un premier manuscrit chez un éditeur, ceux qui soumettront avec anxiété une nouvelle à une petite revue littéraire, ceux qui attaqueront un aîné en le traînant dans la boue — pour se faire une réputation —, ceux qui auront dix-huit ou vingt ans à l'aube du troisième millénaire occidental viennent à peine de naître. Il est bon de se le rappeler. En fait, les écrivains de l'an 2000 mouillent aujourd'hui leurs couches de papier, ils se gèlent peut-être le nez dans un landau, ou bien certains d'entre eux à cette heure tètent encore leur mère.

Aucun parmi nous ne peut prétendre être un écrivain de l'an 2000. C'est donc au nom de ces bébés qu'il faut tenter de circonscrire l'avenir, c'est-à-dire comprendre le présent.

CHAPITRE V

DES PEUPLES HEUREUX

1

Enfonçons des portes ouvertes: l'Histoire est une fiction, une production de l'esprit. Elle n'existe pas ailleurs que dans le ciel des idées. Vivre hors de l'histoire, c'est tout bonnement ne pas participer au roman historique. Une guerre n'est pas l'histoire, pas plus que ne l'est la date d'une grande bataille ou le nom d'un général brûlant ses drapeaux. L'idée d'histoire permet par contre de mettre de l'ordre dans tous ces cadavres, d'établir des liens de cause à effet, d'ordonner un récit. Il y eut les mythes, puis les légendes, puis l'histoire. Mais cela ne représente dans l'aventure de l'humanité ni un progrès ni un changement fondamental de vision. Tout simplement l'histoire s'est dégagée peu à peu du domaine surnaturel pour devenir la chronique des civilisations. Si le peuple québécois a longtemps vécu hors de l'histoire, c'est qu'il était surtout imprégné de légende. Le récit des faits et gestes français au Canada se racontait dans une perspective strictement apologétique.

2

La force du peuple juif, on le sait, prend ses racines dans le monothéisme; pas de mythologie à traîner dans ses bagages. Dès le départ, c'est le rapport direct d'une nation, d'un peuple, avec *son Dieu* qui distingue la tribu d'Israël. L'idée de nation est, semble-t-il, simultanée à celle d'histoire. Le peuple élu ne pouvait que devenir historique puisqu'il était persuadé de sa supériorité *nationale*. L'histoire, c'est le récit d'une quête de pouvoir, d'une marche vers un idéal. Ce récit renforce peu à peu le désir de réussir «l'entreprise nationale», chantant les hauts faits du passé, décrivant la bassesse des sales traîtres ou la beauté resplendissante des héros.

D'une vision du monde naît l'idée d'histoire. De l'idée d'histoire naît une vision du monde. La Révolution française, par sa vigueur, son panache, sa guillotine, son rationalisme, ses discours, ses idéaux, a plus fait pour l'idée d'histoire que tous les autres événements «historiques» en Occident. Mais aussi la Révolution française puisait-elle sa force dans le nationalisme naissant.

3

«[...] La doctrine nationaliste, en affirmant que la seule association politique légitime est celle qui lie entre eux des hommes parlant la même langue, partageant la même culture et chérissant les mêmes héros et les mêmes ancêtres, exprime en ses propres termes idéologiques un souci de l'Histoire qui est devenu le thème dominant des conceptions européennes modernes et qui a été repris partout où a pénétré la culture européenne», écrit Elie Kedourie dans son *Nationalism in Asia and Africa*. L'idée d'histoire (parfaite) occidentale veut qu'un peuple, par la décolonisation, accède enfin à la «réalité historique». Ce que les Québécois réclament, depuis qu'ils tentent de quitter la légende, c'est de participer au récit historique. La guerre des drapeaux dans les conférences internationales est une manifestation symbolique extrême du désir de se raconter. Prendre la parole, c'est s'emparer du récit. Le problème, évidemment, c'est que si les Canayens ont pu vivre avec l'Ancien Testament comme récit historique, persuadés que nous étions d'une mission divine qui remontait aux sources du Jourdain, si les Canadiens français ont échappé à la Révolution française, c'est-à-dire à la laïcisation de l'idée de nation, ce ne sera qu'en 1960 qu'ils se réveilleront, percevant soudain qu'eux aussi ont des aspirations *matérielles.* Colonisés de mille manières au plan symbolique, les Canadiens français mettront vingt ans à se transformer en Québécois. On leur demandera *mezzo voce* s'ils acceptent de devenir maîtres de leur récit, ils répondront *non* au référendum. *Exit* l'idée d'histoire.

4

Ceux qui aiment l'absurde prendront un malin plaisir, dans les années qui viennent, à raconter les tribulations des Canadiens français qui quittèrent l'Europe avant que l'idée d'histoire ne devienne opératoire et qui choisirent d'y participer au moment où elle commença de disparaître.

L'idée d'histoire devait s'accomplir, en ce siècle, dans la Révolution communiste. Les expériences socialistes à ce jour suffisent à démontrer que l'histoire d'un devenir n'a pas plus de fondement que l'histoire d'un passé. Tout cela est fiction. Et la Révolution industrielle a guillotiné les projets historiques. Les nations sont dépassées par les transnationales. Le journal télévisé, feuilleton éphémère, récit du quotidien, suffit désormais à ordonner la vie des consommateurs. De toute manière, il n'y a plus de citoyens.

5

L'historien (Michelet, Marx ou le chanoine Groulx) se sentait investi d'une mission divine: dire le cours des événements pour prédire l'actualité. Celle-ci s'est bien vengée. Elle nous a envahis au point où elle avale et bouscule l'ordonnance, replace soudain dans les consciences le génocide des Arméniens, par exemple, en le sortant, à coups de mitraillettes et d'assassinats télédiffusés, de l'histoire où il avait «sa place» (qui était de justifier Hitler) et en nous le renvoyant dans l'espace d'aujourd'hui. Qu'en faire?

Ce que l'ère du spectacle annonce, c'est un télescopage fulgurant. L'écrit pouvait raconter les événements passés, et principalement ceux auxquels personne n'avait assisté, comme s'ils avaient eu lieu. L'histoire, ramenée au spectacle, amalgame les icônes de Treblinka et de Jonestown,, met sur un même pied, dans un même déroulement, l'image d'archive et l'actualité d'aujourd'hui, archive de demain. La guerre au Vietnam, ce n'est plus l'affrontement de super-puissances sur le dos des Asiatiques, ce n'est pas même un enjeu politique où l'Occident a presque laissé sa peau, c'est l'*image* du briquet d'un G.I. enflammant une case devant une paysanne désemparée, et celle d'un soldat tenant un revolver sur la tempe d'un garçon en culotte courte, dans une rue de Saigon.

6

Depuis trente ans, surtout à la télévision, les spectateurs ont pu, jusqu'à saturation, prendre conscience du monde *en plans rapprochés*. Qui n'a pas vu de près une victime des combats de rue, un édifice défiguré par une charge explosive, un cadavre disloqué à côté des restes d'un avion, un incendie éclairant un quinzième étage, le témoignage poignant d'une morphinomane prostituée, le sourire goguenard d'un gigueux assoiffé, le visage inquiet d'une mère célibataire, le discours fat d'un politicien perdu dans une forêt de micros, un oiseau mort gluant de bitume, un paraplégique concupiscent, un superpétrolier dans un port arabe? Nouvelles, reportages, magazines et documentaires ont répandu des millions d'images de «la réalité», pour la «dénoncer» le plus souvent, l'expliquer à l'occasion.

Jamais une population, avant 1950, n'avait été soumise à un tel bombardement d'images exotiques et domestiques, de problèmes insolubles, d'intimités étalées, d'humanité en spectacle. Même les guerres, si l'on pense aux cent vingt-six qui ont eu lieu depuis la Deuxième Grande Guerre, se sont faites de plus en plus documentaires, conformes aux lois du genre, vécues comme un récit journalistique; on pense aux navires britanniques voguant, de soir en soir, vers les Falkland; on se rappelle la ville de Beyrouth démolie, plan par plan, dans nos salons.

Que serait-il arrivé à la Campagne de Russie si tous les soirs, entre deux images de poilus et de chevaux traînant des canons, Napoléon avait donné une interview? Si les explications de l'Empereur avaient été diffusées dans tous les foyers d'Europe? Parlerait-on aujourd'hui encore de Waterloo? Victor Hugo aurait-il cru bon d'y ajouter un poème?

Parler d'histoire, à l'heure des «mass media», c'est contempler des kilomètres de documentaires qu'aucune télévision nationale n'a encore trouvé moyen de transformer en «archives». L'histoire est une dimension de la littérature, un genre de la langue écrite. Elle ne pourra survivre aux millions d'images et de sons enregistrés quotidiennement.

7

Dans *Les Années de plomb*, l'implacable film de Margarethe Von Trotta, le rédacteur en chef d'un grand journal refuse de publier un article sur la mort d'une terroriste allemande. L'article lui est proposé trop tard.

«L'information, dit-il, c'est la nouvelle publiée au bon moment.» Les autres nouvelles, poursuit-il, vont remplir «les poubelles de l'histoire». Nous n'avons jamais eu tant de poubelles et aussi peu d'histoire. Comme si l'âge historique, depuis 1950, était devenu l'époque *post-historique*. C'est que l'information est la négation même de l'histoire. Le journal télévisé c'est l'instantanéité. L'histoire c'était la durée.

8

Quand, à Disneyland, Abraham Lincoln se lève de sa chaise sculptée et entonne un hymne à la liberté, sur fond de colonnes et de cieux émouvants, avec musique douce et éclairages dramatiques, la foule ébahie croit retrouver, l'espace d'un instant, l'innocence originelle et la foi perdue en une Amérique aussi généreuse qu'honnête et puissante. On lui a même demandé de ne pas fumer, par respect pour l'Émancipateur. C'est une présentation de la Gulf Oil Company of America, et c'est un des rares spectacles gratuits à l'entrée de Main Street, USA.

Disneyland n'est pas un parc d'amusement comme les autres. C'est une entreprise idéologique parfaite qui traduit si bien l'esprit américain que l'on devrait obligatoirement commencer une visite des États-Unis par une journée en cette terre du bonheur totalement contrôlé. Tous les moyens de communication, presse, télévision ou cinéma, doivent baisser pavillon devant l'efficacité et la perfection de ce concept hollywoodien. D'ailleurs, il était normal que ce projet naisse là. La Californie n'a pas d'histoire, et Los Angeles est le haut lieu où se retrouvent, depuis moins de cent ans, les aventuriers du monde entier. Mais après la Californie il n'y a plus de nouvelle *frontière*. Il ne reste donc à y explorer que l'espace, l'océan ou l'esprit, dans les monastères de Big Sur comme à Disneyland.

En réalité, Disneyland c'est un peu comme si le téléspectateur pouvait enfin pénétrer dans son appareil de télévision et vivre en trois dimensions, avec ses héros favoris, des heures radieuses, entouré de messages commerciaux familiers. La Californie est aux confins de notre monde, elle n'est que spectacle. Son livre d'histoire, c'est le parc d'amusement commandité. Mais en est-il autrement de nos lieux «historiques» commandités par les diverses sociétés du patrimoine, dont les pierres ont été nettoyées et scellées dans un mortier tout neuf, et où l'on trouve des reconstitutions «vivantes» de la «vie d'autrefois»? Disneyland fait penser à Québec City. Sons et lumières.

9

Pour mesurer le saut quantique que l'on a fait en passant de l'ère de l'imprimé à celle de l'électronique, l'on peut suivre les débats européens sur les satellites. Chaque État, découvrant avec horreur que ses nationaux pourront bientôt recevoir *directement* les télévisions étrangères, sent le contrôle de l'information et de la culture lui échapper.

Les individus ont tout avantage à pouvoir choisir des programmes de différentes origines. La télévision devient alors, à l'image de la bibliothèque, ouverte sur le monde entier. Mais si le territoire n'est plus protégé (et quelles frontières en défendront l'intégrité contre les faisceaux des satellites?), toutes les administrations vont se sentir menacées. C'est aussi, mais personne n'en parle, la fin des dictatures de l'Est. L'histoire se défait.

10

Il était une fois des hommes qui voulaient que la vie ait un sens. Ils s'imaginaient au-dessus des champs de bataille, dans les alcôves des princes, autour des tables où l'on signait les traités. Mais surtout ils expliquaient la réalité historique. Ils cherchaient les pourquoi, et la justification des aventures des chefs, des peuples. Ils voulaient donner des modèles aux nations. Ils racontaient l'histoire de France, du Canada, celle de Cromwell ou de Toutânkhamon. Dérisoire. Entreprise de vanité. Historiens!

11

Dans *Jacques et son maître* de Milan Kundera, le valet nous sert, en fin de compte, une superbe vision de l'histoire et de la politique. Le maître est embarrassé car il veut foncer, aller de l'avant, diriger le peuple, mais, s'exclame-t-il, regardant autour de lui...

LE MAÎTRE: Je veux bien, mais en avant, C'EST OÙ?
JACQUES: Je vais vous révéler un grand secret. Une astuce séculaire de l'humanité. En avant, c'est partout.
LE MAÎTRE: Partout?
JACQUES: Où que vous regardiez, partout c'est EN AVANT!
LE MAÎTRE: Mais c'est magnifique, Jacques! C'est magnifique!
JACQUES: Oui, monsieur, moi aussi je trouve cela très beau.
LE MAÎTRE: Eh bien, Jacques, EN AVANT!

Communistes, royalistes, capitalistes, libéraux, socialistes, péquistes, conservateurs, écolos, en avant!

Et pour quoi faire? Allier le peuple à la grande aventure?

L'on peut se demander si le romantisme historique ne va pas mourir avec ce siècle, si les tribuns des idéologies, les gérants de la philosophie, tous les Lénine de la terre n'auront pas de plus en plus de difficulté à crier: *En avant!* L'innocence, la naïveté, la bêtise survivront-elles à l'information massive? La conscience historique sera-t-elle remplacée par la conscience planétaire? C'est ce qu'annonce l'ère californienne. L'espace remplace là-bas le temps. Les nouveaux «historiens» sont peut-être ces astronautes qui explorent la dimension spatiale: déjà, dans la conscience des adolescents inquiets, le Tiers-Monde est plus présent que le discours des ancêtres.

12

L'information, dans la vision des ingénieurs, n'est qu'une impulsion physique, électrique ou lumineuse, qui passe à une vitesse donnée d'un point à un autre. Cette information se traite, se codifie, se transforme, se reproduit par divers modes analogiques. La théorie de l'information sied parfaitement aux encyclopédies électroniques. Les «banques de données» regorgent déjà de bibliographies complètes, vérifiées et mises à jour à la vitesse de la lumière. L'ordinateur permet de stocker et de permuter à l'infini des chiffres, des noms, des faits. Le cerveau électronique peut même réaliser en nonasecondes des opérations que mon pauvre cerveau ne pourrait accomplir en plusieurs mois. Au bout du clavier nous avons désormais tous les textes et toutes les images du monde, c'est-à-dire beaucoup plus que ce dont nous avons réellement besoin. Mais l'ordinateur, quoi qu'on en dise, n'a pas de mémoire. Il n'a que des tiroirs.

Utilisant l'ordinateur, des historiens ont tenté, depuis quelques années, en quantifiant des données matérielles, de tracer des portraits significatifs des cultures et des époques. Cette «nouvelle» histoire, plus thématique que chronologique, plus structuraliste que naturaliste, n'est qu'une tentative de l'histoire écrite pour rejoindre le spectacle.

13

L'histoire est un genre littéraire, au même titre que le roman, la poésie ou l'essai. Quand on enseignait cette matière, autrefois, on y incluait le théâtre. Les grands dramaturges côtoyaient les grands romanciers même si les «qualités littéraires» du texte dramatique pouvaient être *radicalement* différentes du reste de la littérature. L'on sait aujourd'hui que le théâtre est l'une des expressions d'un genre particulier: le spectacle audio-visuel. Dans ce genre on trouve le cinéma, les représentations sportives, les informations et le documentaire. Jusqu'en 1950 l'Occident était dominé par l'histoire littéraire. Ce sont des écrivains qui pensaient le monde et lui donnaient un sens, l'univers pouvait se placer, entre deux couvertures, dans une bibliothèque.

La représentation théâtrale, avec les énormes moyens de diffusion que lui procure la technologie électronique, s'est substituée à la pensée. Le monde aujourd'hui n'a plus de pérennité, il n'est plus qu'une succession de spectacles, de durées. Chaque spectacle se suffit à lui-même, il ne se réfère plus à l'idée d'histoire, mais à l'idée de spectacle. Ce n'est pas l'omniprésence de «l'information» qui a détruit le sens historique, puisque bien sûr les historiens utilisent cette documentation comme matériau, mais la disparition de la *vision littéraire*. La pensée dominante aujourd'hui est structurée par l'audio-visuel.

L'audiovisuel est dominé par le besoin de renouvellement. C'est un sentiment récurrent dans le domaine du spectacle. Au théâtre par exemple, il y a des époques de rideaux nus suivies de la «découverte» des décors baroques; des époques où l'accessoire est l'essentiel suivies de périodes où il est essentiel de se passer d'accessoires. C'est que, dans le domaine du spectacle, le regard et l'oreille s'interposent. La littérature s'adresse directement à l'esprit; l'intelligence, aux prises avec des concepts, pense le monde sans que la couleur des tables ou les rides des personnages aient quelque importance. Par contre le spectacle ne peut être que superficiel, et s'il est *profond* ce sera justement par ses relations de surface, ses juxtapositions inattendues.

La pensée dominante étant devenue spectaculaire et non plus littéraire, les cycles de la mode s'installent. La représentation s'épuise, avant d'épuiser son sujet, comme on se fatigue d'un vêtement que l'on jette alors qu'il pourrait encore servir. Le spectacle ne se peut penser sans gaspillage, le gaspillage ne se peut pratiquer sans recyclage. Dix fois les mêmes sujets sont servis, de manière différente, dans un nouvel éclairage.

14

L'actualité, c'est l'histoire en mouchoir de papier. La publicité, c'est la poésie de l'actualité. L'actualité, c'est l'événement brut, insensé. Ce soir deux citoyens canadiens sont morts dans l'écrasement d'un avion soviétique à Pékin. Je me suis demandé, sur le coup, s'il était prudent de visiter la Chine.

La Chine *éternelle?* Mais la publicité m'a vite ramené au plaisir. Merryl-Lynch, société de courtiers en bourse, a choisi un jeune taureau (*the «bull» market*) aux couilles vibrantes et aux cornes acérées comme métaphore. Le taureau traverse, sur l'écran du tube cathodique, un magasin de porcelaine sans rien briser, trouve une aiguille dans un tas de foin: il réussit l'impossible. Nous sommes d'une *autre* race, chantent les courtiers en musique. Nous sommes d'une autre race, en effet. Hors du temps, hors de nous, lancés dans l'espace des câblo-sélecteurs, des messages publicitaires, des milliers de titres temporairement en librairie, des manchettes en couleurs, et le reste. Les consommateurs n'ont aucun besoin d'historiens, au contraire. L'idée de plaisir a remplacé la quête, les thérapies la religion, et la solitude des consommateurs de fond ne permet pas l'histoire. C'est désormais chacun pour soi.

Raison de plus pour s'entourer de savants, diront certains, et valoriser l'immuable, la pérennité, le savoir *historique*. Bien sûr. Il y aura toujours des écrivains passionnés d'histoire et des lecteurs de ces chroniques. Mais jamais plus l'histoire, idée d'ordre littéraire, ne pourra agir sur les consciences. L'homme-actualité, l'homme-publicité est un corps sans pesanteur dans l'espace que nous ouvre l'instantanéité des moyens de communication. D'ailleurs, en 1982, le magazine *Time* n'a-t-il pas choisi *Homme de l'année* le micro-ordinateur? Il ne restera plus bientôt qu'à écrire, avant de mourir, *l'histoire de l'Histoire*, avant d'oublier ce concept d'une culture dépassée. Si l'idée d'histoire n'est pas seulement juive, elle était néanmoins d'essence religieuse. La mort de Dieu et de Karl Marx, c'est la fin des temps historiques. Dans l'avenir il n'y aura plus que des peuples heureux.

NOTE BIBLIOGRAPHIQUE

Le murmure marchand
Revue *Liberté*, nº 117, mai-juin 1978, p. 8-45.

Des dieux pour nous régir
Revue *Liberté*, nº 127, janvier-février 1980, p. 107-114.

Vérité et mensonge
Texte écrit à la suite d'une participation au premier Festival international de la Presse et du Cinéma, tenu à Strasbourg du 26 au 31 octobre 1981. Revue *Liberté*, nº 139, janvier-février 1982, p. 99-102.

Les bons Sauvages
Texte faisant partie d'un ensemble sur les résultats du référendum de mai 1980. Revue *Liberté*, nº 131, septembre-octobre 1980, p. 7-11.

Place Cliché
Revue *Liberté*, nº 138, novembre-décembre 1981, p. 35-40; numéro spécial intitulé «Haïr la France?»

L'orgie
Revue *Liberté*, nº 153, juin 1984, p. 34-39; numéro spécial sur l'indépendantisme québécois.

Le bébéboume
Revue *Liberté*, nº 152, avril 1984, p. 70-74.

Vient de paraître
Revue *Liberté*, nº 134, mars-avril 1981, p. 38-42; numéro spécial sur «L'institution littéraire québécoise».

L'entêté de la famille
Revue *Liberté*, nº 111, mai-juin 1977, p. 61-66; réponse à une enquête intitulée «Divergences: la littérature québécoise par ses écrivains».

L'écrivain d'affaires

Revue *Liberté*, nº 137, septembre-octobre 1981, p. 57-61.

Écrire en l'an 2000

Communication présentée à la Rencontre québécoise internationale des écrivains, Québec, février 1982.

Des peuples heureux

Revue *Liberté*, nº 147, juin 1983, p. 86-96; numéro spécial sur «L'histoire vécue».

TABLE

Dans la collection «Boréal compact»

1. Louis Hémon
Maria Chapdelaine

2. Michel Jurdant
Le Défi écologiste

3. Jacques Savoie
Le Récif du Prince

4. Jacques Bertin
Félix Leclerc, le roi heureux

5. Louise Dechêne
Habitants et Marchands de Montréal au XVIIe siècle

6. Pierre Bourgault
Écrits polémiques

7. Gabrielle Roy
La Détresse et l'Enchantement

8. Gabrielle Roy
De quoi t'ennuies-tu Évelyne? suivi de *Ély! Ély! Ély!*

9. Jacques Godbout
L'Aquarium

10. Jacques Godbout
Le Couteau sur la table

11. Louis Caron
Le Canard de bois

12. Louis Caron
La Corne de brume

13. Jacques Godbout
Le Murmure marchand

14. Paul-André Linteau, René Durocher, Jean-Claude Robert
Histoire du Québec contemporain (Tome I)

15. Paul-André Linteau, René Durocher, Jean-Claude Robert, François Ricard
Histoire du Québec contemporain (Tome II)

16. Jacques Savoie
Les Portes tournantes

17. Françoise Loranger
Mathieu

18. Sous la direction de Craig Brown
Édition française dirigée par Paul-André Linteau
Histoire générale du Canada

19. Marie-Claire Blais
Le jour est noir suivi de *L'Insoumise*

20. Marie-Claire Blais
Le Loup

21. Marie-Claire Blais
Les Nuits de l'Underground

22. Marie-Claire Blais
Visions d'Anna

23. Marie-Claire Blais
Pierre

24. Marie-Claire Blais
Une saison dans la vie d'Emmanuel

25. Denys Delâge
Le Pays renversé

26. Louis Caron,
L'Emmitouflé

27. Pierre Godin
La Fin de la grande noirceur

28. Pierre Godin
La Difficile Recherche de l'égalité

29. Philippe Breton et Serge Proulx
L'Explosion de la communication

30. Lise Noël
L'Intolérance

31. Marie-Claire Blais
La Belle Bête

32. Marie-Claire Blais
Tête Blanche

33. Marie-Claire Blais
Manuscrits de Pauline Archange, Vivre! Vivre! et *Les Apparences*

34. Marie-Claire Blais
Une liaison parisienne

Ce deuxième tirage a été achevé d'imprimer
en octobre 1991 à l'imprimerie Gagné,
à Louiseville, Québec